Bwdhaeth

ar gyfer … wyr UG

gan Wendy Dossett

Golygydd y Gyfres: Roger J Owen

Diolchiadau
Mae sgyrsiau gyda nifer o bobl wedi helpu i lunio cynnwys y llyfr yma. Hoffai'r awdur ddiolch i:
Patch Cockburn, Catherine, Man Yao, Surana, a ffrindiau yng Nghanolfan Fwdhaeth Caerdydd.

Cydnabyddiaethau
Andy Weber: clawr blaen, t. 23, 25(d), 37, 42, 43, 44, 45, 47, 49, 69, 71(c);
Mynachlog Fwdhaidd Amaravati, Swydd Hertford: t. 6, 28, 57; llun © Dolf Hartsuiker, o'i gyfrol Sadhus: Holy Men of India, cyhoeddwyd gan Thames and Hudson Ltd., Llundain: t. 7; CIBY, Ffrainc/Simkins Partnership/Recorded Picture Company: t. 11; o'r Añguttara-Nikaya, I: 145-6, yn F.L. Woodward, Gradual Sayings, Pali Text Society, 1932 Cyf. 1, tud. 128-9: t. 11; World Religions/Christine Osborne Pictures: t. 12, 21(c), 56, 59, 63, 71(g), 72; gyda diolch i The London Buddhist Vihara: t. 13; atgynhyrchwyd gyda chaniatâd Penguin Books Ltd: t. 14-15, 41; Clear Vision Trust: t. 16; o World Religions: Eastern Traditions, golygwyd gan Willard G. Oxtoby (Toronto: Gwasg Prifysgol Rhydychen Canada 1996). Hawlfraint © Willard G. Oxtoby 1996. Ailargraffwyd gyda chaniatâd Gwasg Prifysgol Rhydychen Canada: t. 20; Tegwyn Roberts: t. 33; Barbara Connell: t. 34; Sussex Academic Press: t. 35; The Foundations of Buddhism (t. 429), Rupert Gethin, 1998. Ailargraffwyd gyda chaniatâd Gwasg Prifysgol Rhydychen: t. 37; ailargraffwyd gyda chaniatâd y cyhoeddwr o Buddhism in Translations: Passages Selected from the Buddhist Sacred Books and translated from the original Pali into English gan Henry Clarke Warren, Argraffiad Myfyrwyr, Harvard Oriental Series. 3., tud. 289-9, Caergrawnt, Mass.: Gwasg Prifysgol Harvard, Hawlfraint © 1953, gan Lywydd a Chymrodyr Coleg Harvard: t. 38; trwy garedigrwydd Teml Zenrin-ji, Kyoto/Amgueddfa Genedlaethol Kyoto: t. 52; Sile: t. 54; Peter Harvey, An Introduction to Buddhism: Teachings, History and Practices, 1990, Gwasg Prifysgol Caergrawnt: t. 68; Arvid Parry Jones: t. 70.
Eiddo'r awdur yw gweddill y lluniau.

Roger J. Owen, Golygydd y gyfres
Roedd Roger J. Owen yn Bennaeth AG mewn amryw o ysgolion am ddeng mlynedd ar hugain, yn ogystal , bod yn Bennaeth Cyfadran, yn athro cynghorol ar gyfer AG gynradd ac uwchradd, yn Arolygydd Adran 23, ac yn Brif Arholydd Lefel 'O' a TGAU. Yn awdur dau ar bymtheg o lyfrau addysgol, mae ar hyn o bryd yn ymgynghorydd addysg ac yn Gadeirydd Arholwyr Astudiaethau Crefyddol UG ac U2 CBAC.

Cyhoeddwyd gan Wasg APCC
APCC, Heol Cyncoed,
Caerdydd CF23 6XD
cgrove@uwic.ac.uk
029 2041 6515

ISBN 1-902724-60-7

Dylunio gan *the info group*
Ymchwil lluniau gan *Gwenda Lloyd Wallace*
Cyfieithad gan *Siân Edwards*
Argraffwyd gan *HSW Print*

Comisiynwyd gyda chymorth ariannol Awdurdod Cymwysterau, Cwricwlwm ac Asesu Cymru (ACCAC).

Bwdhaeth
ar gyfer myfyrwyr UG
gan Wendy Dossett
Golygydd y Gyfres: Roger J Owen

Cynnwys

Bwdhaeth

Rhagarweiniad

Cafodd y llyfr yma ei sgrifennu yn bennaf ar gyfer myfyrwyr yng Nghymru sy'n astudio Bwdhaeth lefel UG. Cafodd ei gomisiynu gan ACCAC, ac mae'n ystyried gofynion y Cwricwlwm Cymreig, sef sicrhau fod myfyrwyr yn 'cael cyfleoedd, lle bo hynny'n briodol, i ddatblygu a defnyddio eu gwybodaeth a'u dealltwriaeth o nodweddion diwylliannol, economaidd, amgylcheddol, hanesyddol a ieithyddol Cymru'. Gan hynny, mae arlliw Cymreig i lawer o'r cyfeiriadau a'r enghreifftiau. Mae hyn yn bwyslais priodol mewn llyfr a gomisiynwyd, a sgrifennwyd ac sy'n cael ei farchnata mewn cyd-destun Cymreig. Dydy hynny ddim yn golygu na all y llyfr gael ei ddefnyddio yn Lloegr neu wledydd eraill.

Dydy'r llyfr yma ddim yn disgwyl i'r darllenydd fod yn gwybod dim o flaen llaw am Fwdhaeth, ac mae'n cyflwyno'r grefydd mewn ffordd sy'n ateb gofynion manyleb UG CBAC. Fodd bynnag, ni ddylai, ar unrhyw gyfrif, gael ei ddefnyddio fel yr unig werslyfr ar gyfer y cwrs Bwdhaeth, gan fod astudio uwch yn golygu y dylech fod yn gallu darllen yn eang, a dadansoddi barn amryw o ysgolheigion am wahanol faterion.

Dylai'r llyfr yma gael ei ddefnyddio ar y cyd â'r llyfr athrawon, sy'n rhoi gwybodaeth gefndir fwy manwl ar rai o'r pynciau dan sylw, a help gyda'r tasgau sy'n ymddangos yn y testun.

Mae'r disgwyl i rai sy'n sefyll arholiadau lefel UG nid yn unig i ddangos eu bod yn gwybod ac yn deall y deunydd, ond hefyd fod ganddyn nhw sgiliau arbennig, fel y gallu i gynnal dadl feirniadol a chyfiawnhau safbwynt neilltuol, a gallu cysylltu elfennau o'u cwrs astudiaeth wrth eu cyd-destun ehangach, yn ogystal ag agweddau penodol ar y profiad dynol. Bydd rhai o'r tasgau sy'n ymddangos isod yn eich helpu i ddatblygu'r sgiliau hynny. Mae'n siŵr y bydd athrawon a disgyblion yn meddwl am rai eraill. Mae'n bwysig cofio bob amser fod angen mynd y tu hwnt i ffeithiau syml ynglŷn â Bwdhaeth, sy'n gymharol hawdd eu dysgu, ac ymateb i bob agwedd ar y grefydd mewn modd agored, empathig a beirniadol. Mae gallu gwerthfawrogi gwahanol safbwyntiau yn hanfodol bwysig yn hyn o beth.

Mae'r llyfr yma, a'r llyfr athrawon sy'n gydymaith iddo, wedi cael ei lunio â Sgiliau Allweddol mewn golwg. Dylai myfyrwyr ddatblygu sgiliau cyfathrebu drwy gymryd rhan mewn trafodaethau, casglu gwybodaeth a sgrifennu. Mae disgwyl iddyn nhw ddatblygu sgiliau TGC drwy gael eu hannog i wneud defnydd beirniadol o'r rhyngrwyd, a chyflwyno'r hyn maen nhw'n ei ddarganfod ar ffurf ffeiliau project a chyflwyniadau i'r dosbarth. Mae disgwyl iddyn nhw ddatrys problemau drwy ddadlau o blaid safbwynt neilltuol, a gweithio gydag eraill ar gyd-brojectau ymchwil. Dylen nhw ystyried hefyd pa mor llwyddiannus yw eu dysgu a'u perfformiad drwy ddefnyddio'r dalennau hunan-asesu sydd yn y llyfr athrawon.

Mae'r llyfr disgyblion a'r llyfr athrawon yn ceisio dangos yr amrywiaeth sy'n bodoli o fewn Bwdhaeth. Mae hynny'n un o ofynion Manyleb UG CBAC, ond mae hefyd yn hanfodol i ddealltwriaeth gywir a chyflawn o'r grefydd. Mae pob traddodiad crefyddol yn cynnwys amrywiaeth o safbwyntiau ac arferion, a dylai myfyrwyr allu dangos ymwybyddiaeth feirniadol ond meddwl-agored o'r ffaith hon. Dylai athrawon a myfyrwyr fanteisio ar bob cyfle i ddangos amrywiaeth Bwdhaeth. Fel arall, y perygl yw mai dim ond argraff rannol o'r grefydd a geir, a allai arwain at ystrydebu di-fudd.

Yn ogystal â dangos eu bod yn ymwybodol o amrywiaeth Bwdhaeth fel crefydd, dylai myfyrwyr ddangos eu bod yn gwybod fod amrywiaeth barn ymhlith ysgolheigion am agweddau o Fwdhaeth hefyd. Dydy barn unrhyw awdur sy'n sgrifennu am grefydd ddim yn ddiduedd. Mae gan bob awdur ei safbwynt unigryw ei hun ar astudio Bwdhaeth, yn cynnwys awdur y gwerslyfr yma. Felly dylai myfyrwyr fod yn gallu cyflwyno barn nifer o awduron. Does dim rhaid i bob barn fod yn ddadl glasurol neu'n safbwynt athronyddol, dim ond ffordd neilltuol awdur o gyflwyno rhai agweddau o'r grefydd.

Nodyn ar yr Ieithoedd

Wrth astudio Bwdhaeth, byddwch yn dod ar draws geiriau o nifer o wahanol ieithoedd. Mae hyn yn gallu achosi dryswch, ond mae'n bwysig dysgu'r termau hyn oherwydd wrth ddysgu term newydd, byddwch hefyd yn dysgu rhywbeth pwysig am Fwdhaeth.

Weithiau, bydd yr un term yn cael ei sillafu mewn dwy ffordd ychydig yn wahanol gan fod rhai o'r ieithoedd yn debyg ond heb fod union run fath. Y rheol gyffredinol yw defnyddio termau Pali gyda Bwdhaeth Theravada, a thermau Sanskrit gyda Bwdhaeth Mahayana (ac eithrio pan fyddwch yn trafod Bwdhaeth Japaneaidd neu Dibetaidd neu Fwdhaeth gwlad arall). Ond wrth siarad am Fwdhaeth yn ei ystyr ehangach gallwch sillafu'r geiriau y naill ffordd neu'r llall.

Yn y llyfr yma:
(P) = Pali (hen iaith yr ysgrythurau Theravada).
(S) = Sanskrit (hen iaith sanctaidd India, iaith yr ysgrythurau Hindŵaidd a llawer o'r ysgrythurau Mahayana).
(Jap) = Japanaeg
(Tib) = Tibeteg

Nodyn ar y Dyddiadau

Mae'r llyfr yma'n defnyddio'r ffurfiau OG a COG ar gyfer Oes Gyffredin a Cyn yr Oes Gyffredin. Mewn rhai llyfrau fe gewch AD (Anno Domini) am OG a CC (Cyn Crist) am COG. Mae dyddiadau'r blynyddoedd yn union run fath, dim ond y label sy'n wahanol.

Adran 1

Nod yr Adran

Mae'r adran hon yn gofyn i chi ystyried nid yn unig hanes bywyd y Bwdha hanesyddol, ond hefyd ei bwysigrwydd a'r rhan a chwaraeodd mewn Bwdhaeth.

Mae hyn yn golygu y bydd rhaid i chi ystyried pum mater allweddol:

1. **Cefndir a chyd-destun hanesyddol bywyd a dysgeidiaeth y Bwdha.**
2. **Y berthynas rhwng dysgeidiaeth y Bwdha a chredoau eraill ei gyfnod**
3. **Beth mae elfennau yn hanes bywyd y Bwdha yn ei olygu i Fwdhyddion heddiw.**
4. **Y gwahanol ffyrdd mae pobl yn deall y Bwdha yng ngwahanol draddodiadau Bwdhaeth.**
5. **Y berthynas rhwng y syniadau o 'Fwdha' a 'Bod-yn-Fwdha', a syniad y bodhisattva**

India yng nghyfnod y Bwdha

Nod

Ar ôl astudio'r bennod yma, dylech fod yn gallu dangos eich bod yn gwybod ac yn deall y credoau am yr hunan, ailymgnawdoliad, cast, dyletswydd, ac ymwadiad, sef y prif gredoau yn oes y Bwdha. Mae'r rhain yn syniadau pwysig, yn rhannol am fod y Bwdha'n eu defnyddio a'u beirniadu yn ei ddysgeidiaeth ei hun, ac yn rhannol am eu bod yn rhoi cyd-destun i hanes ei fywyd. Dylech hefyd fod yn gallu egluro eich ymateb i'r credoau hyn, gan ddefnyddio dadleuon beirniadol a chyfiawnhau eich safbwynt.

Cafodd y dyn a fyddai'n Fwdha ei eni yng ngogledd yr hen India, neu Nepal heddiw, ryw 2,500 o flynyddoedd yn ôl. Crefydd y bobl oedd yn byw yno ar y pryd oedd rhagflaenydd Hindŵaeth fodern. Tra roedd llawer o wahanol athrawon ac athrawiaethau yn cystadlu o fewn byd crefyddol India ar y bryd, a phob un â'i ffordd wahanol o ddeall y byd, roedd nifer o syniadau pwysig yn dechrau dod i'r amlwg.

Yr Enaid

Roedd y syniad fod gan bob unigolyn enaid tragwyddol, digyfnewid yn gred ganolog. Roedd y testunau Sanskrit cynharaf, y Vedâu, yn son am yr enaid fel 'anadl' y dwyfol, ond erbyn oes y Bwdha roedd y syniad wedi cael ei ddatblygu ymhellach. Roedd yr Upanishadau, sy'n dyddio o gyfnod ychydig yn ddiweddarach nag oes y Bwdha, yn adlewyrchu syniadau roedd credinwyr wedi eu trafod dros y canrifoedd, ac yn disgrifio'r syniad o enaid yn llawer mwy manwl. Mae'r Upanishadau yn dweud fod yr enaid ('atman' mewn Sanskrit) i'w ganfod ym mhob peth byw, nid dim ond bodau dynol, ac yn dweud ei fod 'yr un fath yn union' â Brahman, neu'r dwyfol. Mewn geiriau eraill, mae gan bob peth byw enaid tragwyddol, a Duw YW'R enaid tragwyddol hwnnw. Mae ymadrodd enwog o'r Upanishadau, 'Tat Tvam Asi' 'dyna wyt ti', yn crynhoi'r syniad yma sef, yn y bôn, fod pob peth byw yn ddwyfol.

Pwnc seminar

Sut mae'r diffiniad yma o'r enaid yn cymharu â syniadau a geir mewn crefyddau eraill?

Myfyrdod

Ydych chi'n credu fod gan bob peth byw enaid? Sut fyddech chi'n egluro neu gyfiawnhau eich ateb wrth rywun sy'n anghytuno â'ch barn?

Ailymgnawdoliad

Mae enaid pob peth byw yn dragwyddol ac yn ddigyfnewid a gall gael ei aileni ar ffurf gwahanol fodau dynol neu anifeiliaid. Pan fydd y corff yn marw mae'r enaid yn dal i fyw ac mae'n trawsfudo i fodolaeth arall. Dyna yw ailymgnawdoliad. Mae'r gair 'ymgnawdoliad' yn golygu bod 'yn y cnawd', ac mae rhoi 'ail' o'i flaen yn golygu fod hyn yn digwydd dro ar ôl tro. Yn wir, yn oes y Bwdha, roedd y rhan fwyaf o bobl yn credu fod eu atman (enaid) wedi byw miloedd o fywydau blaenorol. Y drefn oedd yn gyrru'r cylch aileni yma oedd karma, neu 'weithred'. Karma yw egwyddor achos ac effaith, ac mae'n drefn foesol. Mae hyn yn golygu os gwnewch chi rywbeth da, bydd effaith dda yn dilyn, ac os gwnewch chi rywbeth drwg, bydd effaith hynny'n ddrwg. Yn yr hen India, roedd pobl yn credu mai 'ffrwyth' neu ganlyniad eu karma oedd sefyllfa pobl mewn bywyd. Roedd y gred yma fod i weithred bositif effaith bositif yn golygu y gallech, gydag ymdrech, 'buro' eich karma, a'i wneud yn dda. Byddai hyn yn arwain yr atman yn y man at moksha, sef rhyddhau'r atman o'r cylch diddiwedd o ailymgnawdoliad i gael ei uno â Duw. Moksha oedd nod grefyddol pobl yn oes y Bwdha.

Pwnc seminar

Ydy hi'n rhesymol credu mewn ailymgnawdoliad? Os felly, pam? Os na, pam ddim?

Y system ddosbarth a chast

Fel y rhan fwyaf o gymdeithasau yn y byd, roedd cymdeithas yr hen India yn dilyn trefn gaeth, ond yn India, roedd y drefn yma yn un grefyddol. Roedd rhai grwpiau'n cael eu hystyried yn fwy defodol bur nag eraill. Does gan burdeb defodol ddim i'w wneud â bod yn lân; yn hytrach, cyflwr symbolaidd yw hyn, yn gysylltiedig â grwpiau uchel eu statws mewn cymdeithas. Gall purdeb defodol person gael ei niweidio drwy gyffwrdd â rhywun o grŵp llai defodol bur, felly mae'n well osgoi'r bobl hynny.

Yn India yn oes y Bwdha roedd pedwar prif grŵp neu ddosbarth (varna), gyda phob un o'r rhain wedi ei is-rannu'n nifer fawr o grwpiau yn ymwneud â swyddi arbennig. Yr enw ar grŵp o'r fath oedd 'cast' (jati). Roedd person yn perthyn i'w ddosbarth a'i gast am ei fod wedi ei eni iddyn nhw, canlyniad karma o fywydau blaenorol, a byddai'n aros yn y dosbarth a'r cast hwnnw am weddill ei fywyd. Doedd neb yn cael cymdeithasu â phobl mewn dosbarthiadau is, na bwyta neu ffurfio perthynas gyda'r fath bobl, am eu bod nhw'n ddefodol amhur.

Y pedwar prif ddosbarth, neu varna oedd:

Y Brahminiaid	neu'r offeiriaid a'r ysgolheigion. Yn oes y Bwdha, roedd y bobl hyn yn bwerus iawn, oherwydd dim ond y nhw allai berfformio'r defodau oedd eu hangen i greu perthynas dda rhwng y duwiau a'r gymuned.
Y Kshatriyaid	y llywodraethwyr a'r rhyfelwyr (doedd India ddim yn wlad unedig ac roedd llawer o wahanol ranbarthau, dan reolaeth llywodraethwyr lleol).
Y Vaishyaid	y masnachwyr a'r ffermwyr.
Y Shudraid	y gweithwyr a'r gweision.

Yn ychwanegol at y dosbarthiadau hyn, roedd grŵp arall yn dod i fod, sef yr Anghyffyrddedig (pobl nad oedd neb am gyffwrdd â nhw), neu'r Dalitiaid. Mae hi yn erbyn y gyfraith yn India heddiw i drin pobl yn annheg ar sail dosbarth neu gast, ond yn oes y Bwdha, roedd pobl yn credu fod y Dalitiaid yn eithriadol o ddefodol amhur. Roedden nhw'n gwneud gwaith fel bod yn gigydd, trin lledr a llosgi cyrff marw (hynny yw, gwaith yn ymwneud â marwolaeth, sydd yn cael ei ystyried yn beth defodol amhur).

Dyletswydd

Y gred ar y pryd oedd fod trefn neilltuol ar y bydysawd. Roedd gan bawb ran i'w chwarae o'i mewn, a phe baen nhw'n chwarae'r rhan honno, byddai'r bydysawd yn gweithredu'n gytûn. Pe baen nhw'n camu tu allan i'r rhan a roddwyd iddyn nhw mewn bywyd, yna mi fyddai hynny'n bygwth trefn y bydysawd. Roedd rhaid iddyn nhw gyflawni eu dyletswyddau, neu dharma, oedd yn dibynnu ar eu dosbarth (varna), a'u 'cyfnod mewn bywyd' (ashrama). Er enghraifft, dyletswydd dyn Kshatriya fyddai dysgu'r sgiliau angenrheidiol er mwyn gallu arwain pobl, eu llywodraethu'n deg a'u hamddiffyn

Gwerthuswch y farn fod harmoni yn dibynnu ar y ffaith fod pawb yn gwneud y tasgau sy'n cael eu rhoi iddyn nhw.

pe bai rhaid. Pan fyddai'r amser yn iawn, ei ddyletswydd oedd priodi menyw Kshatriya, cael plant, a magu ei feibion i ddilyn yn ôl ei draed (h.y. eu helpu nhw i gyflawni eu dharma fel Kshatriyaid).

Pwnc seminar

Ydy'r system ddosbarth a chast yn deg? Ydy'r hen system Indiaidd yn wahanol i'r system ddosbarth ym Mhrydain? Beth sy'n diffinio dosbarth ym Mhrydain ac India? Addysg, incwm, traddodiad, er enghraifft? Rhowch resymau dros eich barn.

Ymwadiad

Roedd y traddodiad o dorri cysylltiad â theulu a chymuned, rhoi'r gorau i eiddo, cysur cartref, perthynas rywiol, gwely i gysgu ynddo, unrhyw fwyd ychwanegol at yr hyn sydd ei angen i fyw arno, a 'mynd allan' ar daith ysbrydol, yn weddol gyffredin mewn bywyd yn yr hen India. Roedd yn gam y byddai person fel arfer yn ei gymryd tuag at ddiwedd ei fywyd, wedi i'r holl ddyletswyddau eraill (fel magu teulu a bod â swydd) gael eu cyflawni. Yr enw ar berson sy'n gwneud hyn yw sannyasin. Weithiau byddai rhywun yn penderfynu mynd allan yn gynnar yn ei fywyd, cyn cyflawni ei ddyletswyddau eraill. Yn oes y Bwdha, sramana oedd yr enw ar berson felly, sadhu mewn Hindŵaeth fodern. Dydy ymwadu yn gynnar mewn bywyd ddim yn weithred uniongred (h.y., yn arfer crefyddol cywir) gan ei fod yn torri ar draws dharma arferol.

Y rheswm dros weithredu mewn ffordd mor eithafol oedd y gred mai anghenion a chwantau'r corff sy'n atal yr enaid rhag ennill rhyddid. Ar dudalen 1 rydym yn trafod y gred mai'r atman yw Brahman. Dyna roedd pobl yn ei gredu, ond roeddwn nhw hefyd yn credu fod gwireddu hynny yn ymarferol yn anodd iawn. Byddai gwir adnabod hyn yn fwy na mater deallusol: byddai'n brofiad dwys, ac wrth gwrs, byddai'n cymryd sawl bywyd o ymdrechu i gyflawni hynny.

Gan fod anghenion a chwantau'r corff yn cael eu hystyried yn rhwystr i ddeall yr hunan, rhaid oedd eu cadw dan reolaeth gaeth. Rhaid oedd hyfforddi'r meddwl a'r corff i oddef poen, heb ymateb i bleser na dioddefaint. Byddai rhai o'r ymwadwyr (asgetwyr) yn gwneud pethau anhygoel fel treulio blynyddoedd yn sefyll ar un goes neu'n dal un fraich i fyny, er mwyn trechu poen corfforol, gan gredu pe gallen nhw reoli adwaith y corff, y byddai modd rhyddhau'r enaid. Roedd eraill yn llai eithafol, ond â'r un nod: osgoi temtasiynau bywyd materol a chyfeirio'r enaid tuag at ryddhad.

Asgetig Indiaidd modern yn profi caledi. Mae'r dyn yma wedi dal ei fraich i fyny ers deuddeg mlynedd.

Beth ydy gwerth hyfforddi'r corff i oddef poen?

Pwnc seminar

Mae llawer o grefyddau'n gofyn i'w dilynwyr ymwadu â phethau am resymau ysbrydol (e.e. ymprydio yn ystod Ramadan, neu roi'r gorau i rywbeth yn ystod y Grawys). Pam maen nhw'n gwneud hynny?

Tasgau

Tasg ymchwil	Gan ddefnyddio'r rhyngrwyd a ffynonellau eraill, chwiliwch am enghreifftiau o arferion sadhus yr oes hon. Yng ngŵyl y Kumbh Mela yn 2001 bu miloedd o sadhus wrthi'n profi caledi yn yr un lle. Ceisiwch egluro eu bwriad.
Tasg sgrifennu	Eglurwch pam oedd y gred yn yr atman yn bwysig i Indiaid yn oes y Bwdha.

Geirfa

atman	Yr enaid tragwyddol. Syniad roedd llawer iawn yn credu ynddo yn oes y Bwdha (ond nid y Bwdha ei hun) sy'n dal i gael ei gredu yn y rhan fwyaf o fathau o Hindŵaeth heddiw.
Brahman	Duw yng nghrefydd India yn oes y Bwdha. Ambell dro yn cael ei ddisgrifio fel yr 'enaid cyffredinol' ac roedd rhai pobl yn credu fod atman a Brahman yr un fath yn eu hanfod.
brahminiaid	Y varna uchaf. Offeiriaid ac ysgolheigion a'r rhai mwyaf defodol bur.
Dalitiaid	Yn llythrennol, 'y rhai sy'n cael eu gormesu'. Doedd neb i gyffwrdd â nhw am eu bod nhw'n ddefodol amhur.
dharma	'Deddf', 'dyletswydd', 'rheidrwydd'. Yn draddodiadol, roedd yr Indiaid yn credu fod deddf gyffredinol neu drefn i'r bydysawd, a bod rhaid i unigolion chwarae eu rhan ynddi drwy gyflawni eu dyletswyddau priodol.
jati	Grŵp â'r un swydd.
karma	'Gweithred'. Roedd pobl yng nghyfnod y Bwdha yn credu mai karma oedd y grym oedd yn gyrru trawsfudiad yr atman. I'r Bwdhydd, canlyniad 'bwriadau' person yw karma. Karma sy'n ffurfio personoliaeth.
kshatriyaid	Yr ail varna. Rhyfelwyr a llywodraethwyr. Cafodd y Bwdha ei eni i mewn i varna'r kshatriyaid.
Kumbh Mela	Gŵyl sy'n digwydd yn India bob deuddeg mlynedd, pan ddaw sadhus ynghyd i ymdrochi yn afon Ganges a dioddef caledi bwriadol.
purdeb defodol	Y syniad fod rhai pobl yn fwy pur nag eraill. Gall purdeb person gael ei newid gan y ffordd mae'n ymddwyn, neu gan bobl neu bethau maen nhw'n dod ar eu traws. Er enghraifft, byddai purdeb defodol Brahmin yn newid pe bai'n cyffwrdd â corff marw, neu gael perthynas anghyfreithlon, neu fwyta bwyd wedi ei baratoi gan dalit. Weithiau bydd golchi symbolaidd yn digwydd, gyda pobl efallai'n golchi delw o dduw i ddangos ei bod yn ddefodol bur. Bydd Indiaid yn ymolchi cyn perfformio puja (addoli).
sadhu	Asgetig yn y traddodiad Hindŵaidd. Rhywun sydd wedi rhoi'r gorau i fywyd teuluol a'i gymuned ac sy'n dioddef caledi bwriadol fel rhan o'i ymgais ryddhau'r enaid.
sannyasin	Rhywun sy'n rhoi'r gorau i'w gymuned a'i deulu ar derfyn ei oes, i baratoi ar gyfer marw.
Sanskrit	Hen iaith India a iaith ysgrythurau Hindŵaeth. Mae llawer o ysgrythurau Bwdhaeth Mahayana mewn Sanskrit hefyd.
shudraid	Y varna isaf. Y gweithwyr.
sramana	Asgetig o gyfnod y Bwdha.
tat tvam asi	'Dyna wyt ti'. Ymadrodd sy'n codi dro ar ôl tro yn yr Upanishadau yn cyfeirio at y syniad fod yr atman yn ddwyfol
Upanishadau	Ysgrythurau Hindŵaidd pwysig sy'n esbonio credoau am atman a Brahman.
vaishyaid	Y trydydd varna. Y ffermwyr a'r masnachwyr.
varna	Yn llythrennol, 'lliw'. Rhoi pobl mewn grwpiau yn ôl purdeb defodol yn yr hen drefn bedair-lefel.
Vedâu	Prif ysgrythurau Hindŵaeth. Gwrthododd y Bwdha awdurdod y Vedâu a derbyn yn ei le awdurdod profiad.

Digwyddiadau Allweddol ym Mywyd y Bwdha

Nod

Ar ôl astudio'r bennod yma, dylech allu dangos eich bod yn gwybod ac yn deall y digwyddiadau allweddol ym mywyd y Bwdha hanesyddol. Dylech fod â rhywfaint o ymwybyddiaeth feirniadol o fater dilysrwydd hanesyddol a dylech fod yn gallu dangos eich bod yn deall sut mae Bwdhyddion yn cael eu hysbrydoli gan y stori. Dylech hefyd fod yn gallu mynegi eich ymateb eich hun i'r stori.

Fel y gwelsom, cafodd y dyn a fyddai'n cael ei adnabod fel y Bwdha ei eni ganrifoedd cyn dechrau'r Oes Gyffredin. Chafodd dim byd ei sgrifennu am ei fywyd am ganrifoedd wedi iddo farw. Roedd ei ddilynwyr yn cofio hanesion am ei fywyd a'u hailadrodd er mwyn eu cadw ar gof. Erbyn i hanes ei fywyd gael ei sgrifennu roedd y Sangha (y Gymuned Fwdhaidd) wedi penderfynu beth ddylai Bwdhyddion fod yn ei wybod am y dyn yma.

Oedd e'n berson hanesyddol?

Meddai'r ysgolhaig Michael Pye: 'Does dim modd egluro tarddiad Bwdhaeth gynnar mewn modd synhwyrol heb dybio fod arweinydd creadigol fel y Bwdha wedi byw. Dydy'r ddadl hon ddim yn profi gwirionedd unrhyw rai o fanylion ei hanes, ond mae'n ein galluogi ni i gyfeirio, yn weddol hyderus, at amser, lle a natur ei waith.'[1]

I lawer o Fwdhyddion, mae hanes bywyd y Bwdha yn bwysig iawn. Ond mae rhai Bwdhyddion yn dweud hyd yn oed pe na fu Bwdha erioed, neu hyd yn oed pe bai rhywun arall wedi darganfod y ffordd i oleuedigaeth, na fyddai hynny wedi gwneud dim gwahaniaeth i Fwdhaeth. Y cwbl wnaeth y Bwdha oedd dod o hyd i ffordd sydd wedi bod yno erioed ac y gallai unrhywun fod wedi dod o hyd iddi. Mae Bwdhyddion yn credu fod eraill wedi dod o hyd iddi a bod rhai yn dal i ddod o hyd iddi heddiw.

Pwnc seminar

Beth sydd bwysicaf, y Bwdha neu ei ddysgeidiaeth?

Sawl Bwdha?

Mae Bwdhyddion yn credu fod llawer bodolaeth arall heb law am ein bodolaeth ni yn ein 'teyrnas' ddynol yn ein cyfnod hanesyddol. Mae llawer teyrnas arall a llawer oes arall. Felly, mae llawer Bwdha arall. Mae'r dyn rydym yn cyfeirio ato yn y llyfr yma fel 'y Bwdha' yn aml yn cael ei alw wrth y teitl 'y Bwdha hanesyddol' gan ysgolheigion i ddangos mai hwn yw Bwdha ein teyrnas ni a'n cyfnod ni mewn amser, ac i ddangos hefyd mai dim ond un Bwdha yw hwn ymhlith llawer o rai eraill. Er enghraifft, mae straeon am sawl Bwdha arall yn yr hanesion am fywydau blaenorol y Bwdha hanesyddol - sef Straeon Jataka - ac mae Bwdhâu eraill yn cael eu parchu neu eu hanrhydeddu yn holl wahanol draddodiadau Bwdhaeth.

Dyn neu dduw?

Mae gwahanol draddodiadau Bwdhaeth yn disgrifio'r Bwdha mewn gwahanol ffyrdd. Mewn Bwdhaeth Theravada, y math a geir mewn gwledydd fel Sri Lanka a Thailand, mae'r Bwdha'n cael ei weld yn glir iawn fel person, ac fel esiampl i eraill sy'n chwilio am oleuedigaeth. Dydy Bwdhyddion ddim, ar y cyfan, yn credu fod y Bwdha yn dduw. Mae

Hindwiaid yn credu fod Duw yn dod i'r ddaear ar ffurf afatariaid neu 'amlygiadau'. Ond dydy Bwdhyddion ddim yn credu fod y Bwdha yn afatar chwaith. Mae'r straeon yn hanes bywyd y Bwdha am ddigwyddiadau goruwchnaturiol a fyddai, mewn traddodiadau crefyddol eraill, yn gysylltiedig â duwiau. Mae'r straeon hyn yn dangos pwysigrwydd y Bwdha, ac yn awgrymu parch y rhai oedd yn sgrifennu amdano at ei waith. Mae ymddangosiad Bwdha yn y byd yn beth arbennig, ac mae awduron ei gofiant yn dangos hynny drwy gynnwys digwyddiadau oedd ag ystyr arbennig i ddilynwyr y Bwdha ar y pryd. Does dim rhaid i Fwdhyddion gredu'r holl stori air am air. Mae'n stori sy'n perthyn i oes wahanol, ond mae'n helpu i egluro llawer o syniadau allweddol Bwdhaeth, ac mae'n ysbrydoli Bwdhyddion, a'u helpu i arfer eu crefydd.

Mae hanes traddodiadol bywyd y Bwdha yn dod o lawer o wahanol ffynonellau, a does dim un fersiwn 'swyddogol'. Does dim un llyfr yn cynnwys yr holl hanes, ond y llyfr bydd pobl yn cyfeirio ato fynychaf yw Bwdhacarita (Gweithredoedd y Bwdha) gan Ashvaghosha. Cafodd ei sgrifennu yn y ganrif gyntaf, gannoedd o flynyddoedd wedi marwolaeth y Bwdha. Mae rhai pethau allweddol yn digwydd mewn nifer o'r straeon am y Bwdha yn yr ysgrythurau ac mae'r rhain wedi mynd yn rhan bwysig iawn o hanes traddodiadol ei fywyd. Y digwyddiadau hyn yw geni'r Bwdha, y pedair golygfa neu'r pedwar arwydd, ei ymwadiad neu 'fynd allan', ei oleuedigaeth, ei benderfyniad i addysgu, a'i farwolaeth.

Enwau'r Bwdha

Cyn iddo gael goleuedigaeth yn 35 oed, mae'r Bwdha fel arfer yn cael ei alw'n ***Siddattha*** (P) neu ***Siddhartha*** (S), ei enw gwreiddiol. Mae'r ddau sillafiad yn y llyfrau darllen, oherwydd mae hanes bywyd y Bwdha yn dod o ddwy iaith, ***Sanskrit*** (S) a ***Pali*** (P). Enw arall arno yw ***Gotama*** (P) neu ***Gautama*** (S). Weithiau, mae'n cael y teitl ***'Y Bodhisattva'***, sydd yn yr achos yma yn golygu ***'Y Bwdha-i-fod'***. Ar ôl ei oleuedigaeth, mae'n cael ei adnabod wrth ei deitl, ***'Y Bwdha'*** sy'n golygu ***'Yr Un Goleuedig'***. Mae enwau eraill yn cynnwys ***Shakyamuni***, sef ***'Dyn Doeth Llwyth y Shakya'***.

Geni a magwraeth

Mae ysgolheigion yn dadlau am ddyddiad geni Siddhartha. Y dyddiad oedd yn arfer cael ei roi oedd 563 COG ond mae rhai haneswyr wedi dadlau yn ddiweddar na allai fod wedi cael ei eni cyn 411 COG. Yn ôl y traddodiad, cafodd Siddhartha ei eni yng Ngerddi Lumbini yng ngogledd India, sef gwlad Nepal heddiw. Kshatriyaid (gweler tud 2) oedd ei rieni, Suddhodana a Maya, a'i dad oedd y llywodraethwr lleol.

Pwnc seminar

Mae llawer o Fwdhyddion yn pwysleio dynoldeb y Bwdha. Mae rhai o'r straeon am ei genhedlu a'i enedigaeth fel pe baen nhw'n groes i'r pwyslais hwnnw. Sut mae egluro'r straeon hynny?

Mae'r hanes am ei genhedlu a'i eni yn llawn straeon gwyrthiol. Mae'r rhain yn ddiddorol iawn am eu bod yn helpu i ddangos arwyddocâd genedigaeth Siddhartha. Breuddwydiodd Maya fod eliffant wedi mynd i mewn i'w chroth (mae eliffantod yn greaduriaid sy'n dod â lwc dda) cyn ei bod yn gwybod ei bod yn feichiog. Pan oedd yn bryd geni'r plentyn, daeth allan drwy ei hochr pan oedd hi'n pwyso yn erbyn coeden. Mewn rhai traddodiadau Indiaidd, mae pobl yn credu fod unrhyw beth sy'n ymwneud â rhyw a geni plentyn yn llygru. Mae'r straeon hyn yn dangos y dylid meddwl am Siddhartha fel bod pur, gwahanol ac arbennig. Cyn gynted ag y cafodd ei eni, yn ôl y stori, cymerodd saith cam a dweud 'Cefais fy ngeni i gael goleuedigaeth ac er lles pob peth byw. Dyma fy ngenedigaeth olaf i mewn i'r byd hwn'.

Yn seremoni enwi Siddhartha, proffwydodd gweledydd enwog o'r enw Asita y byddai Siddhartha naill ai'n un o arweinwyr mawr ei bobl neu'n ddyn sanctaidd mawr. Roedd hyn yn poeni Suddhodana yn fawr iawn oherwydd, fel Kshatriya, roedd disgwyl i Siddhartha ddilyn yn ôl traed ei dad. Mae'r ysgrythurau'n dweud fod Suddhodana wedi cymryd camau i sicrhau na fyddai Siddhartha yn cael unrhyw brofiad a allai wneud iddo fyfyrio ar ystyr bywyd mewn ffordd grefyddol. Yn wir, roedd y bachgen wedi ei garcharu mewn paradwys. Roedd pobl yno i ateb ei holl ofynion ac anghenion, a'i gysgodi rhag ochr drist bywyd a'r pethau mae rhaid i ni eu dioddef wrth dyfu'n hŷn. Roedd pobl ifanc, hardd, iach o'i gwmpas drwy'r amser. Wnaeth e ddim gweld dim yn marw, dim hyd yn oed anifail neu blanhigyn. Tyfodd yn ŵr ifanc twymgalon, yn un da am chwaraeon ac â dawn at y celfyddydau, mathemateg ac, yn wir, unrhyw beth byddai'n ceisio ei wneud. Priododd â'r dywysoges hardd Yasodhara. Roedd fel pe bai proffwydoliaeth Asita y byddai'n arweinydd mawr ar ei bobl yn dod yn wir, nes adeg geni ei fab, Rahula (sy'n golygu 'cyffion' neu 'cadwyni'). Roedd Siddhartha yn 29 oed, ac roedd yn anesmwyth. Efallai fod yr enw a roddodd i'w fab yn awgrym o gyflwr ei feddwl ar y pryd.

Siddhartha (sy'n cael ei chwarae gan Keanu Reeves yn y ffilm 'The Little Buddha') yn myfyrio dan y goeden Bodhi.

Y Bwdha yn disgrifio bywyd ym mhalas ei dad

Fynachod, cefais fagwraeth gain, magwraeth eithriadol gain, magwraeth ddifesur o gain. Er enghraifft, yn nhŷ fy nhad, dyma sut y gwnaed pyllau lotws: un o flodau lotws glas, un o rai coch, un arall o flodau lotws gwyn, ddim ond er fy mwyn i. Roeddwn yn defnyddio'r powdr sandalwydd gorau; o'r defnydd gorau y gwnaed fy nhwrban; o'r defnydd gorau fy nghot, fy nhiwnig a'm clogyn. Liw nos a dydd, roedd canopi gwyn yn cael ei ddal drosof, rhag ofn i oerfel neu wres, neu lwch neu fân us neu wlith gyffwrdd â mi. At hynny, fynachod, roedd gennyf dri phalas: un ar gyfer y gaeaf, un ar gyfer yr haf, ac un ar gyfer y tymor glawiog. Ym mhedwar mis y tymor glawiog, roedd gennyf gerddorion i'm diddanu, a'r rheini'n ferched i gyd. Lle mae caethweision yn nhai gwŷr eraill yn cael reis wedi ei falu a chawl sur i'w fwyta, yn nghartref fy nhad roedden nhw'n cael reis, cig, a reis llaeth i'w fwyta.

O'r Anguttara Nikaya; cyfieithad wedi ei addasu o Whitfield Foy, Man's Religious Quest, Gwasg y Brifysgol Agored, 1978

Y Pedair Golygfa

Penderfynodd Siddhartha na allai barhau i fyw heb wybod dim am y byd y tu allan i'w balasau. Aeth ar bedair taith dyngedfennol i'r byd y tu allan, lle gwelodd bedair golygfa a fyddai'n newid ei fywyd yn llwyr. Yn ôl y Bwdhydd, mae'r pedair golygfa yma yn hanfodol i ddeall beth yw ystyr Bwdhaeth.

Ar y daith gyntaf fe welodd hen ŵr. Roedd henaint yn syniad cwbl newydd i Siddhartha, a sylweddolodd am y tro cyntaf y byddai'r rhai roedd yn eu caru, ac yntau ei hun, yn tyfu'n hen. Ar yr ail daith gwelodd ddyn sâl, a dywedodd ei was, Channa, oedd gydag e, fod y rhan fwyaf o bobl yn dioddef afiechyd yn ystod eu bywydau. Roedd hon yn ail sioc i Siddhartha. Wnaeth hynny ddim o'i baratoi ar gyfer ei drydydd profiad ofnadwy, sef gweld angladd gyda chorff marw. Doedd Siddhartha, tan hynny, ddim yn gwybod dim am farwolaeth. Doedd e ddim wedi sylweddoli fod bywyd yn dod i ben; y byddai ei wraig, ei fab, ei dad, ef ei hun, a phob peth byw arall yn marw. Gwnaeth y wybodaeth newydd yma iddo grïo â thosturi dros bob peth byw. Allai e byth fynd yn ôl at ei fywyd o bleser oherwydd roedd y pleserau hynny wedi eu llygru gan y wybodaeth y bydden nhw'n mynd heibio, ac y byddai afiechyd, henaint a marwolaeth yn cymryd eu lle.

Myfyrdod

Allwch chi gofio ar ba adegau yn eich bywyd y gwnaethoch chi ddechrau meddwl am ddioddefaint a marwolaeth? Beth oedd effaith hynny arnoch chi?

Ar ei bedwaredd taith gwelodd sramana neu sadhu (asgetig) Hindŵaidd crwydrol. Er bod y dyn yn hen a heb ddim eiddo, roedd ei wyneb yn dawel ac yn heddychlon. Roedd hynny'n ysbrydoliaeth i Siddhartha. Roedd yn amlwg fod y sadhu'n gwybod am afiechyd, henaint a marwolaeth; ac eto, doedd e ddim mewn pwll o anobaith llwyr fel Siddhartha. Rhaid ei fod e'n gwybod y gyfrinach, yr ateb i'r cwestiwn beth yw ystyr bywyd. Penderfynodd Siddhartha ddilyn yr un llwybr.

Mae'r lluniau a'r cerfluniau o Siddhartha o'r cyfnod yma yn dangos mor bell aeth e wrth geisio ymryddhad.

Cymharodd Siddhartha y cyfnod yma â'i fywyd moethus yn y palas. Pam wnaeth e hynny?

Penderfynu Ymwadu

Roedd ymwadu neu roi'r gorau i fywyd teuluol i chwilio am wirionedd ysbrydol yn arfer cyffredin yn India, ond ymwadiad Siddhartha oedd yr union beth roedd Suddhodana wedi bod yn ceisio ei osgoi. Wedi'r cwbl, roedd yn un o'r Kshatriyaid, â chyfrifoldebau i'w deulu ac i'w lwyth. Ond roedd Siddhartha'n benderfynol o gael ateb i'r cwestiwn pam ydyn ni'n dioddef, a sut mae trechu neu godi uwch ben hynny. Gadawodd ei wraig a'u baban newydd, rhoi'r gorau i'w fywyd moethus yn y palas, eillio'i ben, a rhoi'i geffyl i Channa, ei was ffyddlon.

Yna fe 'aeth allan' a chychwyn ar y llwybr Hindŵaidd tuag at ryddid (gweler tud 3). Cafodd nifer o athrawon a bu'n dioddef caledi bwriadol gyda grŵp o bump o asgetwyr eraill. Am chwe blynedd, bu'n ceisio llethu ei anghenion a'i chwantau corfforol er mwyn rhyddhau ei enaid. Byddai'n bwyta cyn lleied â phosib ac aeth mor denau nes gallu teimlo ei asgwrn cefn drwy bwyso ar ei stumog. Yn y man, sylweddolodd y byddai'n marw pe bai'n dal i wneud hyn, ac roedd yn dal i deimlo mor anobeithiol â phan gychwynnodd. Ymolchodd a bwyta ychydig o gawl. Aeth ei gymdeithion siomedig i ffwrdd a'i adael, mewn diflastod.

Ond roedd Siddhartha yn dal yn benderfynol o gyrraedd ei nod. Cyhoeddodd na allai neb ddod o hyd i'r gwirionedd drwy fywyd o eithafion - moethusrwydd eithafol neu ymwadu eithafol. Y ffordd orau oedd y Ffordd Ganol. Eisteddodd yng nghysgod coeden Banian, gan dyngu y byddai'n aros yno nes cyflawni'r hyn roedd wedi mynd ati i'w wneud. Wrth iddo fyfyrio drwy'r nos ceisiodd y diafol Mara ei ddychryn, a thanseilio ei hyder, a dwedodd wrth ei ferched hardd (o'r enw 'Syched', 'Nwyd' a 'Chwant') i geisio ei hudo. Methodd eu holl ymdrechion i ddenu Siddhartha a, gyda'r wawr, cafodd oleuedigaeth.

Myfyrdod

Ydy hi'n bosibl bod yn gyfoethog ac yn grefyddol ar yr un pryd?

Ei Oleuedigaeth

Mae Bwdhyddion yn dadlau na all neb ddisgrifio mewn geiriau y cyflawniad neu'r cyrhaeddiad a enillodd y teitl 'Bwdha' ('Un Goleuedig') i Siddhartha. Roedd yn gyflwr neu brofiad y tu hwnt i bopeth rydyn ni'n ei wybod. Does gyda ni ddim geiriau i egluro ei ystyr. Dim ond person goleuedig all ei ddeall. Mae chwedl Fwdhaidd y crwban môr a'r pysgodyn yn dangos ei bod yn amhosibl disgrifio rhywbeth y tu allan i'n profiad a'i bod yn ffôl dweud nad ydy rhywbeth yn bod ddim ond am nad ydyn ni'n gallu profi hynny.

Darlleniad Y Crwban Môr a'r Pysgodyn

Un tro roedd pysgodyn a chrwban môr oedd yn ffrindiau. Doedd y pysgodyn, oedd wedi byw ei holl fywyd yn y dŵr, ddim yn gwybod dim am unrhyw beth arall. Un dydd, pan oedd y pysgodyn yn nofio yn y dŵr, dyma fe'n cwrdd â'i ffrind, y crwban môr, oedd newydd ddychwelyd o daith ar y tir. Pan ddwedodd wrtho, meddai'r pysgodyn, 'Ar dir sych! Beth wyt ti'n ei olygu wrth "dir sych"? Welais i rioed y fath beth - dyw "tir sych" yn ddim!' 'Wel', meddai'r crwban, 'croeso i ti feddwl hynny, ond dyna lle dwi wedi bod.'
'O, dere,' meddai'r pysgodyn, 'siarad yn gall. Dwed wrtha'i sut beth yw'r "tir" yma. Ydy e'n wlyb i gyd?'
'Na, dydy e ddim yn wlyb,' meddai'r crwban môr.
'Ydy e'n ffres ac yn oeraidd?' gofynnodd y pysgodyn.
'Na, dydy e ddim yn ffres ac yn oeraidd' atebodd y crwban môr.
'Ydy e'n glir fel bod y goleuni'n dod drwyddo?'
'Na, dydy e ddim yn glir. All goleuni ddim dod drwyddo.'
'Ydy e'n feddal a thipyn o roi ynddo er mwyn i mi allu symud fy esgyll a gwthio fy nhrwyn drwyddo?'
'Na, dydy e ddim yn feddal ac yn rhoi. Alli di ddim nofio ynddo.'
'Ydy e'n symud neu'n llifo mewn nentydd? Ydy e'n codi'r donnau ag ewyn gwyn arnyn nhw?' gofynnodd y pysgodyn, yn colli amynedd gyda phob Na.
'Na,' atebodd y crwban, 'dydy e beth yn codi'n donnau.'
Yna gofynnodd y pysgodyn, 'Os nad yw'r tir yn un o'r rhain, yna beth ydy e ond dim byd?'
'Wel,' meddai'r crwban, 'os wyt ti'n benderfynol o feddwl fod "tir sych" yn ddim byd, alla'i ddim dy helpu di. Ond byddai unrhywun sy'n gwybod beth yw dŵr a beth yw tir yn dweud dy fod yn bysgodyn dwl, yn meddwl fod unrhyw beth dwyt ti ddim yn gwybod amdano yn ddim byd, am nad wyt ti'n gwybod amdano.'

Addaswyd o H. Saddhatissa, What is Nibbana?[3]
Cymdeithas Mahabodhi Brydeinig, Llundain, 1984, tt9-11

Mae'n bwysig cofio fod unrhyw beth sy'n cael ei ddweud am oleuedigaeth yn amodol. Hynny yw, mae'n rhoi rhyw syniad i ni, ond heb egluro'r peth yn llawn. Mae hynny oherwydd fod y geiriau rydyn ni'n eu defnyddio yn cyfeirio at bethau o fewn ein profiad fel bodau dynol, nid pethau y tu allan i'r profiad hwnnw. Rydyn ni fel y pysgodyn, heb syniad o beth yw 'tir sych' na geiriau amdano. Efallai mai'r ffordd orau o geisio deall yw edrych ar beth ddwedodd y Bwdha wedi iddo gyrraedd y cyflwr, a'r pethau bu'n eu dysgu i bobl am weddill ei fywyd. Byddwn yn archwilio hyn yn fwy manwl yn nes ymlaen. Mae'n help hefyd edrych ar beth mae'r ysgrythurau'n dweud am ei brofiadau. Drwy oleuedigaeth, aeth y Bwdha'n ymwybodol o'i fywydau eraill yn y gorffennol, a bywydau blaenorol holl fodau'r bydysawd. Roedd yn gweld fod achos ac effaith yn cysylltu pob peth, a bod pob peth yn newid drwy'r amser. Gwelodd fod dioddef yn deillio o chwant ac ymlyniad, y gred fod pethau, neu bobl, neu syniadau yn dod â hapusrwydd, ond maen nhw'n newid o hyd, felly allan nhw ddim ddod â boddhad i ni. Wedi iddo sylweddoli hyn, cafodd wared o bob chwant ac ymlyniad, a phrofi heddwch nirvana. Mae 'nirvana' yn aml yn cael ei ddefnyddio fel gair arall am oleuedigaeth, yn awgrymu diwedd ar bob dioddef.

Dyma'r hanes sydd yn yr ysgrythurau.

Darlleniad Pedair Gwyliadwraeth y Nos

Mae'r darn yma'n eithaf cymhleth, ac efallai na fyddwch yn deall rhai o'r syniadau ar hyn o bryd. Ond mae'n rhoi syniad o bwysigrwydd ac effaith beth lwyddodd y Bwdha i'w gyflawni. Edrychwch ar y paragraff olaf, yn enwedig. Pam oedd bywgraffwyr y Bwdha eisiau sôn am flodau'n syrthio o'r nefoedd, a dweud fod hyd yn oed y bodau annynol, 'gweledwyr mawr ymhlith y lliaws o fodau anweledig' yn datgan ei glod?

Yng ngwyliadwraeth gyntaf y nos, adroddodd hanes ei holl enedigaethau blaenorol... Wedi iddo gofio am ei enedigaethau a'r farwolaethau yn ei holl fywydau gwahanol, dyma'r Un Doeth, yn llawn trueni, yn troi ei feddwl tosturiol tuag at fodau byw eraill, a meddwl: 'Dro ar ôl tro maen nhw'n gorfod ffarwelio â'r bobl sy'n annwyl iddyn nhw, a mynd ymlaen i fan arall, yn ddiddiwedd. Mae'r byd yma'n ddiamddiffyn ac yn ddigymorth, ac fel olwyn yn troi a throi'. Wrth iddo ddal i hel atgofion am y gorffennol, daeth i'r casgliad pendant bod y byd samsara yma mor ddisylwedd â chraidd coeden fanana.

Cafodd ef, y dewraf o bawb, yn ail wyliadwraeth y nos, y goruchaf lygad nefolaidd... Gwelodd fod marwolaeth ac ailenedigaeth bodau yn dibynnu ar gyflawni gweithredoedd gwell neu waeth. A chynyddodd ei dosturi ymhellach. Daeth yn amlwg iddo nad oes diogelwch i'w gael yn llif bodolaeth samsarig, a bod bygythiad marwolaeth yn bresennol beunydd. Dan fygythiad o bob ochr, all creaduriaid ddim dod o hyd i le i orffwys...

Yna, wrth i drydedd gwyliadwraeth y nos fynd yn ei blaen, trodd goruwchfeistr llesmair i fyfyrio ar natur real a hanfodol y byd hwn: 'Gwaetha'r modd, mae bodau byw yn ymlâdd yn ofer! Drachefn a thrachefn maent yn cael eu geni, yn heneiddio, yn marw, yn symud ymlaen i fywyd newydd ac yn cael eu haileni! At hynny, mae trachwant a rhithiau tywyll yn tywyllu eu golwg, ac maent yn ddall o'u geni.' Yna, syllodd ar ddeuddeg dolen gyswllt cydgynhyrchiad wedi'i gyflyru, a gweld, os ydyn nhw'n dechrau o anwybodaeth, eu bod yn arwain at henaint a marwolaeth, ac os ydyn nhw'n dechrau o ddarfyddiad anwybodaeth, eu bod yn arwain at ddarfyddiad geni, henaint, marwolaeth a phob math o ddrygioni.

Pan oedd y gweledydd mawr wedi deall y ffaith, lle nad oes anwybodaeth o gwbl, fod ffurfiannau karma yn dod i ben – yna roedd ganddo wybodaeth gywir am bob peth sydd i'w wybod, a safodd allan yn y byd fel Bwdha . . . O gopa'r byd i lawr, ni allai weld hunan unrhywle. Fel y tân pan fydd y tanwydd wedi llosgi, llonyddodd. Roedd wedi cyrraedd perffeithrwydd, a meddyliodd: 'Dyma'r Ffordd wirioneddol y mae cymaint o weledwyr mawr y gorffennol, a wyddai bob peth uwch ac is, wedi teithio arni tuag at wirionedd real a therfynol. A nawr rwyf fi wedi ei chael!'

Y foment honno, ym mhedwaredd gwyliadwraeth y nos . . . dechreuodd y ddaear sigo fel gwraig wedi meddwi ar win, disgleiriodd yr awyr yn loyw â'r siddhâu a ymddangosodd yn dorfeydd o bob cyfeiriad, a drymiau anferth y taranau yn diasbedain drwy'r awyr. Chwythodd awelon hyfryd yn dyner, syrthiodd glaw o'r awyr ddigwmwl, disgynnodd blodau a ffrwythau o'r coed allan o'u tymor – mewn ymgais, fel pe tae, i ddangos eu parch mawr iddo. Syrthiodd blodau Mandarava a blodau lotws, a hefyd lilïau dŵr o aur a beryl, o'r awyr i'r ddaear ger Gŵr Doeth y Shakya, nes bod y lle'n edrych fel rhan o fyd y duwiau.

Y foment honno, doedd neb yn ddig, yn sâl neu'n drist; wnaeth neb ddim byd drwg, doedd neb yn falch; aeth y byd yn gwbl dawel, fel pe bai wedi cyrraedd perffeithrwydd llwyr. Aeth llawenydd ar led drwy rengoedd y duwiau oedd yn dyheu am achubiaeth; ac ymhlith y rheini oedd yn byw yn y parthau oddi isod. Ym mhob man, aeth y rhinweddol yn gryfach, cynyddodd dylanwad dharma, a chyfododd y byd o faw'r nwydau a thywyllwch anwybodaeth. Gan lawenhau a rhyfeddu wrth waith yr Un Doeth, safodd gweledwyr cenedl yr haul, a oedd wedi gwarchod dynion, a oedd wedi bod yn weledwyr i frenhinoedd, a oedd wedi bod yn weledwyr mawr, yn eu tai yn y nefoedd a dangos eu parch mawr iddo. Gellid clywed y gweledwyr mawr ymhlith y lliaws o fodau anweledig yn datgan ei glod ar bob llaw.

Addaswyd o Y Bwdhacarita gan Ashvaghosha, yn E. Conze, Buddhist Scriptures, Llundain, Penguin, 1959 tt48-53

Ei benderfyniad i addysgu

Ar ôl cael goleuedigaeth, doedd y Bwdha ddim yn siŵr a fyddai'n gallu egluro hynny, am y rhesymau a nodwyd uchod. Ond yn ôl yr hanes, dadleuodd y duw Brahma fod rhaid iddo rannu ei wybodaeth, a thyngodd y Bwdha, 'Gan fy mod i fy hun wedi croesi môr dioddefaint, rhaid i mi helpu eraill i'w groesi. Wedi i mi gael fy rhyddhau, rhaid i mi ryddhau eraill'. Y bobl gyntaf gafodd eu haddysgu ganddo oedd y Pum Asgetig oedd wedi troi yn ei erbyn yn gynharach, ond a oedd bellach yn ei dderbyn fel Bwdha cwbl oleuedig. Enw rhai pobl ar ei bregeth gyntaf yw Pregeth Parc y Ceirw, sef enw'r lle, neu 'Droad Cyntaf Olwyn y Dharma' (dharma yw'r gair am ddysgeidiaeth neu wirioneddau Bwdhaeth).

Am y 45 mlynedd nesaf, bu'r Bwdha'n addysgu pobl am y gwirioneddau roedd wedi eu sylweddoli o dan y goeden Bodhi (dyna roedd pobl yn ei galw erbyn hyn - ystyr bodhi yw goleuedigaeth). Byddai'n defnyddio stori, dameg a throsiad i geisio helpu pobl i ddeall pethau nad oes modd eu hegluro, dim ond eu profi. Daeth nifer fawr o bobl i'w ddilyn, yn cynnwys pobl dlawd a menywod yn ogystal â brenhinoedd, a hyd yn oed duwiau. Roedd y rhai oedd am ymuno â'r gymuned Sangha yn tyngu llw ac yn byw bywyd caeth.

Pwnc seminar

Pa mor bwysig oedd penderfyniad y Bwdha i ddysgu?

Marwolaeth

Mae'n debyg i'r Bwdha farw o wenwyn bwyd. Roedd yn gwybod ei fod ar fin marw, a pharhaodd i groesawu ei ddilynwyr tra'n gorwedd rhwng dwy goeden. Roedd Ananda, un o ddisgyblion ffyddlon y Bwdha, yn poeni am ddyfodol y gymuned heb ei hathro, ac yn drist iawn fod ei feistr annwyl yn marw. Dwedodd y Bwdha fod pwy bynnag sy'n gweld y dharma (y ddysgeidiaeth) yn gweld y Bwdha hefyd, gan awgrymu mai'r ddysgeidiaeth ei hun fyddai'n arwain y gymuned, a bod y Bwdha a'i ddysgeidiaeth yn un. Dwedodd wrth Ananda am sychu ei ddagrau, gan mai natur pethau yw cael ein gwahanu oddi wrth y rhai sy'n annwyl i ni. Ei eiriau olaf oedd 'Mae pob peth sydd wedi'i gyflyru yn dod i ben. Rhaid i chi weithio'n galed i ddarganfod sut i gael eich hachub – byddwch yn lamp i'ch hunain.'

Parinirvana'r Bwdha, gydag Ananda wrth ei ben.

Allwch chi ddeall pam oedd Ananda'n drist fod ei feistr yn marw? Oedd ymateb y Bwdha'n greulon?

Gollyngodd ei afael ar fywyd yn dawel. Mae'r foment y bu farw wedi ei dathlu mewn darluniau ar hyd a lled y byd Bwdhaidd. Pan fu farw, doedd ganddo ddim 'ymlyniad karmig' – roedd ei holl karma wedi cael ei ddefnyddio – felly ni chafodd ei aileni. Enw'r foment yma yw'r parinirvana neu'r Mahaparinirvana – Nirvana Fawr a Therfynol y Bwdha.

Mae Sile a David yn aelodau o Ganolfan Fwdhaidd Caerdydd. Maen nhw'n dweud beth mae marwolaeth y Bwdha'n ei olygu iddyn nhw wrth ddathlu'r Parinirvana yno.

Sile	'Rydyn ni yn y Gorllewin yn osgoi meddwl am farwolaeth – ond mae'n dod i ni i gyd. Dylai cofio marwolaeth y Bwdha ein helpu i dderbyn y ffaith y byddwn ni'n marw. Mae marwolaeth yn rhan o fywyd! Rydym hefyd yn dathlu ei lwyddiant mawr – ei fod wedi cyrraedd rhyddhad llwyr, a ddim yn gorfod dod nôl i ddioddef eto.'
David	'Dydd Parinirvana yw dydd marwolaeth corff y Bwdha. Mewn ffordd, dyma hanfod Bwdhaeth. Mae'r syniad nad oes dim yn parhau yn gwneud i chi wynebu'r syniad o farw, a byw bywyd i'r eithaf. Dydy hyn ddim yn golygu Hedoniaeth (gwneud be liciwch chi) oherwydd dydy hynny ddim yn golygu byw bywyd i'r eithaf. Mae byw bywyd i'r eithaf yn golygu byw yn llwyr yn y foment yma a bod yn feddylgar.'

David

Tasgau

Tasg sgrifennu	Eglurwch ystyr digwyddiadau ym mywyd y Bwdha i Fwdhyddion heddiw. 'All stori 2,500 mlwydd oed ddim bod yn berthnasol heddiw.' Aseswch pa mor wir ydy'r farn yma.
Tasg sgrifennu a chyflwyno	Sgrifennwch fersiwn fodern o fywyd cynnar Siddharta. Meddyliwch am bopeth rydyn ni'n gwybod am ddioddef, salwch, henaint a marwolaeth, a'r holl wahanol ffyrdd rydyn ni'n gwybod amdano, er enghraifft, drwy'r teledu, radio, papurau newydd, hysbysebion. Sut fyddai tad Siddharta modern yn cadw'r fath wybodaeth oddi wrth ei fab? Pa fath o wybodaeth fyddai e'n gwneud yn siŵr na fyddai'r mab yn ei chael? Oes gwahaniaeth rhwng y pethau roedd rhaid i Suddhodana eu gwneud, fel sgubo dail marw o olwg ei fab, a'r pethau y byddai rhaid i Suddhodana modern eu hystyried? Gallech sgrifennu eich darn fel dialog a'i berfformio o flaen y dosbarth.
Tasg ymchwil	Chwiliwch am fwy o fanylion am beth ddigwyddodd adeg parinirvana'r Bwdha. Cymharwch farwolaeth y Bwdha â marwolaeth sylfaenydd unrhyw grefydd arall.

Geirfa

Ananda	Cefnder a disgybl ffyddlon y Bwdha. Roedd Ananda gyda'r Bwdha pan fu farw, ac adroddodd ddysgeidiaeth y Bwdha yn y Cyngor Cyntaf.
asgetig	Rhywun sy'n cefnu ar eu teulu a'u cymuned i chwilio am y llwybr at ryddhad..
Asita	Y rishi, neu 'weledydd', a broffwydodd y byddai Siddhartha yn llywodraethwr mawr neu'n arweinydd crefyddol mawr.
banian / bodhi	Math o ffigysbren ydy'r banian, y goeden y cafodd y Bwdha oleuedigaeth oddi tani. Ar ôl iddo gael goleuedigaeth, roedd pobl yn ei galw'n goeden bodhi (goleuedigaeth) Mae gan demlau ym mhob rhan o'r byd Bwdhaidd ddail neu frigau sy'n dod o ddisgynyddion y goeden yma. Mae disgynnydd i'r goeden wreiddiol yn Bodh Gaya, ac mae Bwdhyddion yn aml yn mynd ar bererindod i'w gweld.
Brahma	Duw greawdwr Hindŵaeth.
Bwdhacarita	'Gweithredoedd y Bwdha' . Hanes bywyd y Bwdha, a sgrifennwyd gan Ashvaghosha yn y ganrif gyntaf.
Channa	Gyrrwr cerbyd rhyfel Siddhartha, a oedd gydag e pan welodd y pedair golygfa.
goleuedigaeth	Y cyflwr a gyrhaeddodd y Bwdha o dan y goeden Bodhi. Mae Bwdhyddion yn dweud na all neb ddisgrifio'r cyflwr yma. Gair arall am hyn yw nirvana.
Straeon Jataka	Straeon am fywydau blaenorol Siddhartha
Mara	Diafol geisiodd hudo Siddhartha o'i daith tuag at oleuedigaeth.
Nirvana	Diwedd dukkha, pan fydd y tri tân, sef trachwant, casineb ac anwybodaeth, yn cael eu 'chwythu allan'. Mae nirvana yn aml yn cael ei ddiffinio'n negyddol am ei fod y tu hwnt i'n dychymyg anoleuedig, a does dim geiriau gyda ni i'w ddisgrifio. Dydy pobl ddim yn meddwl amdano fel 'lle', ond mae'n fwy na dim ond 'cyflwr meddwl'.
Pali	Un o hen ieithoedd India, a iaith ysgrythurau'r Bwdhyddion Theravada
parinirvana/ mahaparinirvana	Y 'nirvana terfynol' – marwolaeth y Bwdha.
Rahula	Enw mab Siddhartha. Mae'n golygu 'Cadwynau' neu 'Cyffion'.
Sangha	Cymuned y Bwdhyddion, neu, yn y diffiniad mwy cul, cymuned y mynachod a'r lleianod Bwdhaidd.
Shakyamuni	'Gŵr Doeth llwyth y Shakya'. Enw arall ar y Bwdha.
Suddhodana	Tad y Bwdha.
y ffordd ganol	Gwrthod eithafion moethusrwydd neu asgetiaeth. Mae'r syniad o ffordd ganol yn bwysig iawn mewn Bwdhaeth, ac mae'n syniad athronyddol yn ogystal â ffordd o fyw.
Yasodhara	Gwraig Siddhartha.

Y Bwdha: Esiampl Ddynol

Nod

Yn yr adran hon, byddwch yn dysgu am ddatblygiad Bwdhaeth wedi marwolaeth y Bwdha a dod i ddeall rhywfaint am y farn Theravadaidd am y Bwdha, fel bod dynol a ddatguddiodd y llwybr ac sy'n esiampl i bawb sy'n chwilio am oleuedigaeth.

Datblygiad Bwdhaeth wedi marwolaeth y Bwdha

Wedi i'r Bwdha farw, cafodd ei ddysgeidiaeth ei chadw ar lafar, fel oedd yn arferol mewn cyfnod pan nad oedd llawer iawn o bobl yn gallu sgrifennu Sanskrit. Roedd dilynwyr y Bwdha yn cwrdd o bryd i'w gilydd i adrodd y ddysgeidiaeth ac yn naturiol, roedd pobl yn anghytuno. Oherwydd hynny, ryw bedair canrif wedyn, datblygodd dau fath gwahanol o Fwdhaeth, Theravada, Ffordd y Tadau, a Mahayana, Y Cerbyd (neu gyfrwng) Mwyaf. Erbyn hynny, roedd y Bwdha yn ysbrydoliaeth i bobl ym mhob rhan o India a rhannau eraill o Dde Asia a hyd yn oed China. Roedd nifer o deuluoedd brenhinol mawr India, fel Ymerodraeth y Mauryaid o gyfnod y Brenin Asoka ymlaen, a'r Ymerodraethau Kusana a Gupta yn cefnogi Bwdhaeth a helpu'r grefydd i ffynnu.

Llinell amser

Yn ôl traddodiad. Mae'n anodd iawn profi fod peth o'r wybodaeth hon yn gywir yn hanesyddol.

- **Y Bwdha c. 563-483 COG**
- **Cyngor Cyntaf y Sangha c. 482 COG yn Rajagriha, lle adroddodd Ananda ddysgeidiaeth y Bwdha, ac adroddodd mynach arall, Upali, y rheolau ar gyfer y Sangha.**
- **Ail Gyngor y Sangha c. 373 COG yn Vaisali, lle cafodd dadl ynglŷn â'r rheolau ar drin arian gan fynachod ei thrafod.**
- **Trydydd Cyngor y Sangha c. 250 COG yn Pataliputra, lle mae'n bosib y gwnaeth Bwdhaeth ddechrau ymrannu yn ddau 'gerbyd' gwahanol.**
- **Y Brenin Asoka – 268-232 COG**
- **Bwdhaeth yn cyrraedd Sri Lanka c. 250 COG**
- **Bwdhaeth yn cyrraedd China c. 40OG**
- **Ymerodraeth Kusana 78OG – 319OG**

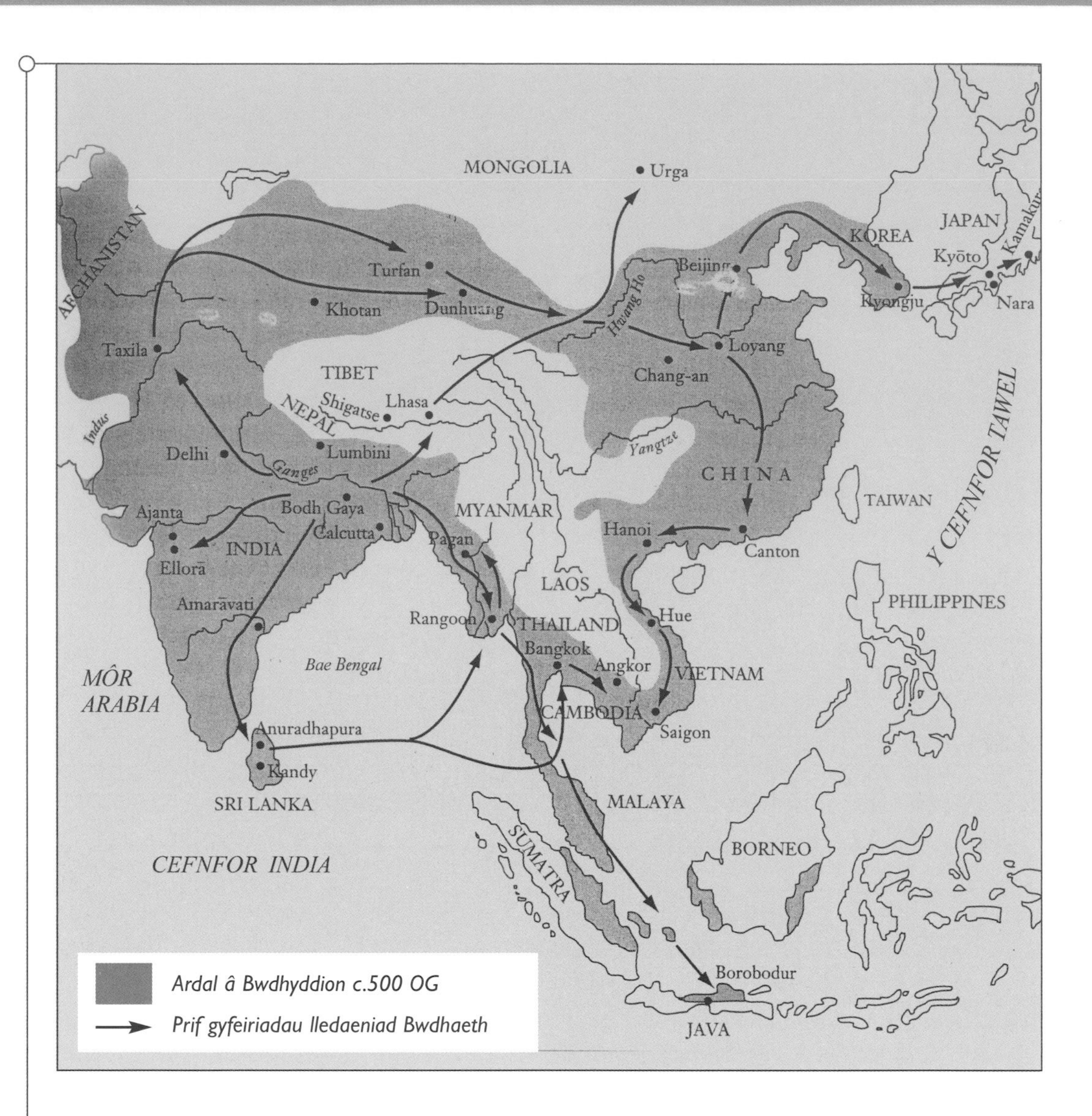

Y Stupa

Yn aml, wedi i athro carismatig farw, mae pobl yn anghofio ei ddysgeidiaeth. Ond roedd y Bwdha bob amser wedi gofyn i'w ddilynwyr i beidio â dibynnu ar ei awdurdod ef ond i fod 'yn lamp iddyn nhw eu hunain''. Doedd dim rhaid derbyn dysgeidiaeth y Bwdha yn ddigwestiwn; i'r gwrthwyneb, fe ddylen nhw roi prawf arni, i weld os oedd yn rhesymol, ei defnyddio a gweld os oedd yn eu helpu ar y llwybr tuag at oleuedigaeth. Roedd awdurdod y Bwdha bellach yn nwylo'r holl gymuned Fwdhaidd (y Sangha) yn hytrach nag un dilynydd amlwg neu bwyllgor o bobl bwysig.

Yn naturiol, ceisiodd y Sangha gofio eu hathro mawr. Cafodd ei gorff ei amlosgi, yn ôl yr arfer yn India. Wedi'r seremoni, aeth rhai o'r grwpiau â lludw a darnau o asgwrn llosg a dannedd fel creiriau. Byddai'r rhain yn cael eu cadw mewn beddrod neu stupa, tomen gladdu draddodiadol lle byddai brenhinoedd yn arfer cael eu claddu. Roedd pererinion yn ymweld â'r stupâu hyn, a chafodd temlau eu hadeiladu o'u cwmpas.

Myfyrdod

Beth ydych chi'n credu fyddai'r Bwdha wedi meddwl am y ffaith fod ei weddillion yn cael eu trin â'r fath barch mawr?

Aeth parchu'r stupa yn un o sylfeini'r grefydd, gan fod hynny'n ffocws i ddefosiwn yn absenoldeb y Bwdha ei hun.

Mae Bwdhaeth Theravada, y ffurf fwyaf cyffredin yn Sri Lanka, Gwlad Thai a Myanmar, yn rhoi pwys mawr ar ffigur y Bwdha ac ar ddathlu ei waith mawr. Er bod agweddau goruwchnaturiol i hanes ei fywyd, dim ond bod dynol arbennig iawn yw'r Bwdha i'r Theravadiaid. Dydyn ddim yn credu ei fod yn dduw, a dydyn nhw ddim yn ei addoli - byddai hynny'n camddeall beth sydd wrth wraidd Bwdhaeth, sef ceisio bod yn rhydd o ymlyniad. Os ydych yn addoli rhywbeth, mae gennych ymlyniad wrtho. Fel mae Denise Cush yn dweud, 'rhaid peidio byth ag anghofio ei fod yn un ohonom ni'.[2] Mae ffaith nad ydy e'n dduw yn bwysig, oherwydd ddylai neb deimlo ymlyniad wrtho, ond hefyd am ei fod yn gallu bod yn esiampl ac yn ysbrydoliaeth i fodau dynol cyffredinol ar y llwybr. Pe bai e'n dduw, byddai'n sylfaenol wahanol i ni – a byddai ei oleuedigaeth y tu hwnt i gyrraedd pobl gyffredin fel ni. Y ffaith mai person dynol oedd e sy'n gwneud ei fywyd a'i lwyddiant mor bwysig.

Y Stupa Mawr yn Sanchi yn India, o oes yr Ymerawdr Asoka yn y drydedd ganrif COG. Enghraifft wych o Stupa Theravada.

Pam mae'r hen adeiladau yma, oedd yn cynnwys creiriau, efallai hyd yn oed rhai'r Bwdha ei hun, wedi mynd mor bwysig mewn Bwdhaeth?

Sile

Bwdhydd sy'n byw a gweithio yng Nghaerdydd yw Sile. Soniodd am ei pharch tuag at y Bwdha a'r ffaith bwysig mai bod dynol oedd e cyn dathliadau'r parinirvana yng Nghaerdydd. 'Person oedd e, 'run fath â ni, ond y gwahaniaeth yw ei fod e wedi dal ati. Mae hanes ei ymroddiad yn fy syfrdanu, ond fe allwn ni gyflawni beth gyflawnodd e'.

Pwnc seminar

Os ydy Bwdhyddion Theravada yn credu mai dim ond dyn oedd y Bwdha, pam maen nhw'n ymgrymu ac yn offrymu o flaen ei ddelw?

Ym marn Bwdhyddion Theravada, y Bwdha hanesyddol yw'r bod mwyaf a fu byw erioed, ac mae'n cael ei ddathlu mewn miloedd ar filoedd o luniau a cherfluniau. Mae Bwdhyddion Theravada yn parchu delwau o'r Bwdha, gan ymgrymu a chynnig offrymau o'u blaen (gweler Pennod 10). Ond dydy hynny ddim yn golygu eu bod yn addoli'r Bwdha, na'n gofyn am help neu'n gweddïo arno. Dydy'r Bwdha ddim yn bod mwyach. Dydy dangos parch tuag at ddelwau o'r Bwdha ddim 'run fath ag addoli. Dim ond ffordd o ddangos eu diolch, am fod person dynol wedi dod o hyd i'r ffordd tuag at oleuedigaeth ac addysgu eraill, er mwyn pawb. Mae hefyd yn ffordd o ganolbwyntio eu hymdrechion i gyrraedd nirvana hefyd.

Yn ôl Bwdhaeth Theravada, mae'r Bwdha yn fod unigryw. Mae'n bosibl i unrhywun gael goleuedigaeth, ond mae'n beth prin iawn, yn cymryd sawl bywyd o ymdrechu i ddilyn y llwybr cyn cyrraedd y goleuni. Mewn gwirionedd, mae Bwdhyddion Theravada cyffredin yn meddwl mwy am buro eu karma ac ennill teilyngdod, er mwyn gwella'u cyfle o gael goleuedigaeth mewn bywyd arall yn hytrach nag yn y bywyd hwn. Y gair am berson goleuedig yw arahant (S) neu arhat (P). Mae'r ysgrythurau'n dathlu gorchest yr arhatiaid, ond mae eu goleuedigaeth nhw – fel goleuedigaeth bosibl unrhywun arall – yn dibynnu'n llwyr ar y ffaith fod y Bwdha wedi dangos y ffordd.

Tasgau

Tasg ymchwil	Ymchwiliwch i beth ddigwyddodd ar ôl marwolaeth sylfaenwyr crefyddau mawr eraill. Sut oedd y grefydd yn cadw ei hawdurdod? Oedd y sylfaenydd wedi dweud wrth ei ddilynwyr am ddarllen llyfr oedd yn datguddio'r gwir, neu lyfr roedd e wedi ei sgrifennu, neu lyfrau gan bobl eraill? Oedd y sylfaenydd wedi dweud pwy ddylai fod y arweinydd yn ei le? Beth sy'n debyg a beth sy'n wahanol yn achos y Bwdha?
Tasg sgrifennu	Eglurwch agwedd Bwdhyddion Theravada tuag at y Bwdha.

Geirfa

arahant (S) arhat (P)	Rhywun goleuedig yn y traddodiad Theravada. Mae'n golygu 'un sy'n deilwng'.
Asoka	Ymerawdwr a drodd at Fwdhaeth yn y 3edd ganrif COG a gwneud llawer i ledaenu Bwdhaeth yn India.
Mahayana	'Y Cerbyd Mwyaf'. Un o'r ddau brif fath o Fwdhaeth; crefydd dwyrain a gogledd Asia, yn ogystal â rhannau eraill o'r byd.
Pataliputra	Safle trydydd Cyngor y Sangha.
Rajagriha	Safle Cyngor cyntaf y Sangha
stupa	Creirfa. Beddrod siâp cromen i ddal gweddillion y Bwdha neu bobl oleuedig eraill. Aeth stupâu yn fannau pererindod ac yn destun parch mawr.
Theravada	'Ffordd y Tadau'. Un o'r ddau brif fath o Fwdhaeth; crefydd Sri Lanka, Myanmar a Gwlad Thai, a rhannau eraill o'r byd.
Vaisali	Safle ail Gyngor y Sangha.

Y Bwdha: Bod Nefol

Nod

Yn y bennod yma byddwch yn dysgu ac yn dod i ddeall barn Bwdhyddion Mahayana am natur y Bwdha, fel dim ond un o blith nifer o fodau goleuedig eraill, neu fel enghraifft o egwyddor goleuedigaeth. Byddwch yn archwilio'r syniad o 'fod-yn-Fwdha'. Bydd rhaid i chi ddadansoddi'n feirniadol y gwahaniaethau rhwng barn Theravadaidd a barn Mahayanaidd am y Bwdha.

'Y Pum Bwdha Dhyani'. Mae Dhyani yn golygu myfyrio. Mae'r pum Bwdha yn cynrychioli gwahanol agweddau goleuedigaeth, ac mae Bwdhyddion sy'n dilyn traddodiad Tibet yn myfyrio ar eu rhinweddau. Eu henwau yw: Amitbha. Amoghasiddhi, Aksobhya, Ratnasambhava a Vairocana.

Bwdhaeth Mahayana

I Fwdhyddion Theravada a Mahayana, mae'r ddysgeidiaeth yn hanfodol, ond mae Bwdhyddion Mahayana yn poeni llai na rhai Theravadaidd am beth yn union ddwedodd y Bwdha. Mae'r holl syniad o oleuedigaeth yn bwysicach iddyn nhw. Datblygodd athronwyr a sefydlodd y traddodiad Mahayana rai o ddysgeidiaethau allweddol y Bwdha. Gan fod yr athronwyr hyn yn cael eu hystyried fel personau goleuedig, mae Bwdhyddion Mahayana yn parchu eu dysgeidiaeth nhw gymaint â dysgeidiaeth y Bwdha hanesyddol. Tra bod Bwdhyddion Theravada yn credu fod y Bwdha yn unigryw, mae Bwdhyddion Mahayana yn credu y gall pob peth byw fynd yn Fwdha goleuedig.

Natur-y-Bwdha

Roedd athronwyr Mahayanaidd, fel y mynach o'r ganrif gyntaf, Nagarjuna, yn canolbwyntio ar ddysgeidiaeth y Bwdha ynglŷn â pratitya samutpada (gweler pennod 6). Mae'r ddysgeidiaeth yma'n dweud fod popeth yn gysylltiedig. Does dim terfynau rhyngom ni a phobl eraill, neu rhyngom ni a'r amgylchedd. Mae'r person anoleuedig yn gweld gwahaniad, ond dim ond cysylltiad mae'r person goleuedig yn ei weld. Cysylltiad yw sail pob peth, dyna'r gwirionedd sylfaenol. Os felly, meddyliai Nagarjuna, rhaid bod cysylltiad rhwng nirvana a samsara (ein teyrnas anoleuedig ni) hefyd. Dydy nirvana ddim yn rhywbeth pell i ffwrdd y dylem anelu ato – mae'n bod yma a nawr. Felly, nid y Bwdha hanesyddol yw'r unig Fwdha a fu neu a all fod. Mae nirvana, neu 'Bod-yn-Fwdha' o fewn cyrraedd i bawb. Yn wir, rhaid fod natur-y-Bwdha ym mhob un ohonom. Mae pawb, mewn gwirionedd, yn oleuedig. Y gamp yw datgelu, darganfod neu sylweddoli hynny. Dydy hynny, wrth gwrs, ddim yn hawdd!

Cafodd y ddysgeidiaeth yma o gysylltiedigrwydd ddylanwad mawr ar ddatblygiad Bwdhaeth Mahayanaidd. Yn ogystal â'r posibilrwydd o oleuedigaeth i bawb (hyd yn oed yn y bywyd hwn, yn ôl rhai mathau o Fwdhaeth Mahayanaidd), mae'n bosibl y gallem gyfarfod â bodau goleuedig eraill, heb law am y Bwdha ei hun.

Y Bodhisattvau

Yn y traddodiad Mahayana, mae llawer o Fwdhyddion yn ymrwymo i lwybr y Bodhisattva. Gair Sanskrit yw Bodhisattva sy'n golygu 'Bod Goleuedigaeth' (i bob diben, yr un ystyr â 'Bwdha' – Yr Un Goleuedig). Mae'r llwybr yma yn golygu symud, fesul cam, tuag at oleuedigaeth mewn ffordd debyg, ond ychydig yn wahanol, i lwybr person sy'n gweithio tuag at fod yn arhat. Drwy ddilyn y llwybr, mae'r person yn magu doethineb.

Mae'r doethineb yma'n golygu gallu gweld pethau fel y maen nhw go iawn, neu sylweddoli'r gwirionedd sylfaenol. Beth yw gwirionedd sylfaenol? Yn ôl Bwdhaeth Mahayanaidd, y ffaith fod popeth yn gysylltiedig. Mae'r bodhisattva doeth yn sylweddoli hyn nid yn unig drwy'r deall, ond hefyd drwy brofiad. O ganlyniad, mae'n gwbl effro i ddioddefaint eraill, ac yn gweithredu i'w helpu yn ddigymell. Felly, mewn Bwdhaeth Mahayana, mae dau syniad pwysig, ynghlwm wrth ei gilydd: doethineb a thosturi. Dyma rinweddau'r bodhisattva. Mae Bwdhyddion Mahayanaidd yn credu fod bodhisattvau ar gael i helpu'r unigolyn ar ei daith tuag at oleuedigaeth.

Mewn Bwdhaeth, mae pobl yn credu fod amser a gofod yn ddiderfyn. Doedd y Bwdha byth yn sôn am greu'r byd neu am ddiwedd y byd, a ddywedodd e ddim erioed mai'r deyrnas ddynol oedd yr unig ddimensiwn. Mae ysgrythurau Mahayana yn son am deyrnasoedd eraill heb law am hon, a chyfnodau eraill heb law am ein cyfnod presennol ni mewn hanes, ac mae gan bob un o'r rhain ei bodhisattva neu Fwdha ei hun. Weithiau bydd pobl yn disgrifio'r rhain fel 'Bwdhâu Nefol'. Dydy hyn ddim yn golygu eu bod nhw yn yr awyr neu yn y nefoedd. Mae'n golygu eu bod nhw y tu allan i fodolaeth ddynol er y gallen nhw, wrth gwrs, fod wedi cael eu geni'n fodau dynol ar un adeg.

Rhai enghreifftiau o Fwdhâu a Bodhisattvau

Avalokitesvara (chwith, isod) yw un o'r bodhisattvau nefolaidd mwyaf poblogaidd. Ystyr ei enw yw 'Yr un sy'n clywed crïo'r byd.' Mewn un chwedl o Tibet, mae'r bod goleuedig benywaidd, Tara, yn cael ei geni o ddeigryn a gollodd wrth iddo gael goleuedigaeth (hynny yw, wrth iddo fynd yn llwyr ymwybodol o ddioddefaint bodau eraill).

Mae Manjusri (dde, uchod) yn dal cleddyf tanllyd sy'n torri drwy anwybodaeth.

Bwdha yw Amida (Jap) neu Amitabha (S) (ar y dde) wnaeth dyngu llw oherwydd ei dosturi mawr, amser maith yn ôl, mewn gorffennol na allwn ni ei ddychmygu, i ddod â phob peth byw at oleuedigaeth (hynny yw, dod â nhw allan o ddioddefaint). Roedd am sicrhau eu bod yn cael eu haileni yn y Tir Pur (teyrnas wahanol i'r deyrnas ddynol) a chael goleuedigaeth yn syth.

Pynciau seminar

Sut fyddech chi'n diffinio doethineb?

Mae'n siŵr mai Bwdhyddion Theravada sy'n iawn am ei bod yn canolbwyntio ar eiriau'r Bwdha ei hun. Mae Bwdhyddion Mahayana wedi dyfeisio eu ffurf eu hunain o'r grefydd. Dydy hynny ddim yn iawn, ydy e?

Mae Catherine, Bwdhydd sy'n byw ym Manceinion, yn egluro pam mae un o'r pum Bwdha Dhyani yn bwysig iddi.

'Mae Amoghasiddhi, y Bwdha clasurol sy'n gysylltiedig â'r cyfeiriad gogleddol, y lliw gwyrdd tywyll. a'r rhinwedd o fod heb ofn, yn apelio ata'i, Bwdhydd Prydeinig gwyn sy'n fwy cyfarwydd â thirwedd, hinsawdd a chwedlau gogledd Ewrop na diwylliant a thirwedd Asia. Ar hyn o bryd, y cwbl dwi'n gwneud yw ei gadw yn fy nghof, ond pan gaf fy ordeinio'n aelod o Urdd Bwdhyddion y Gorllewin, mae'n debyg y byddaf yn dewis dull o fyfyrio lle byddaf yn ei weld yn llygad fy meddwl ac yn ceisio meddwl am ei rinweddau, er mwyn mynd yn debycach iddo.

Ei symbol yw vishva-vajra, neu vajra dwbl. Taranfollt diamwnt yw'r vajra sengl, symbol o sut deimlad fyddai cael eich taro gan Realiti sylfaenol; sut beth fyddai gweld yn sydyn fod ein bywyd cyfarwydd ni heb barhad (anicca), yn ddisylwedd (anatta) ac yn anfoddhaol (dukkha). Byddai fel cael eich taro â tharanfollt. Mae'r vajra dwbl yn cynrychioli'r Realiti yma fil gwaith yn fwy. Mae rhai hyd yn oed yn dweud fod y ddaear yn gorffwys ar vajra dwbl anferth; hynny yw, ffordd symbolaidd o ddweud fod y Realiti yma yn sail i'n holl fodolaeth.

Mae'r ddau vajra yma, wedi eu croesi, yn cynrychioli cyfuno eich holl egnïon hefyd – seicolegol, emosynol, corfforol, ac ati – sef beth fyddai'n digwydd i Fod Goleuedig. Byddwn yn aml yn sôn am bobl 'gytbwys', hynny yw, rhai gweddol gall: maen nhw'n ddibynadwy, yn garedig, yn adnabod eu hunain yn eitha da, ddim yn gwneud pethau od ac annisgwyl neu wylltio, ac ati. Mewn ffordd, mae'r vajra dwbl yn symbol o sut beth fyddai bod yn berson aruthrol ac anhygoel o "gytbwys"! Heb deimlo unrhyw ddiffyg hyder, dryswch neu ofnau yn yr isymwybod, byddech yn gallu cyflawni unrhyw beth bron. A dyna beth yw ystyr enw Amoghasiddhi: llwyddiant heb rwystr.

Yn ôl y Bwdha, roedd PAWB nad oedd yn oleuedig yn wallgof, yn yr ystyr nad ydyn ni'n gweld bywyd fel y mae mewn gwirionedd. Yn blentyn ac yn oedolyn, dwi wedi gweld llawer o salwch meddwl a dryswch mewn pobl dwi'n agos atyn nhw ac roedd hynny'n achosi pryder mawr i mi; roedd yn effeithio ar fy hyder a weithiau doeddwn i ddim yn gwybod beth oedd yn iawn. Ond weithiau, yn llygad fy meddwl, wrth fyfyrio, dwi'n gweld vajra dwbl Amoghasiddhi yn disgleirio, yn fflamio bron, yn y tywyllwch, yn symbol o ddealltwriaeth, eglurdeb a gobaith, sydd wedi fy ysbrydoli i fwrw ymlaen heb ofn, i fod â ffydd ynof fi fy hun, ac ymddiried yn fy mhenderfyniadau, a'm hatgoffa fod dealltwriaeth perffaith yn bod, ac efallai y bydd yn cymryd amser maith i mi, ond dwi ar fy ffordd tuag ato.'

Pwnc seminar

Beth mae Catherine yn ei olygu wrth ddweud fod rhai yn credu fod y ddaear yn gorffwys ar vajra dwbl?

Myfyrdod

Ydych chi, neu'ch ffrindiau, yn rai 'cytbwys'? Os felly, pam? Os na, pa nodweddion mae angen i chi/nhw eu datblygu?

Mae Catherine wedi dewis meddwl am rinweddau Amoghasiddhi, i'w helpu i ddatblygu'r rhinweddau hynny ynddi hi ei hun. Bydd Bwdhyddion yn gwneud hyn yn aml. Pe byddech chi am newid a datblygu, pwy (a pha rinweddau) fyddech chi'n dewis myfyrio arnyn nhw? Pam?

Beth yn union yw'r bodau hyn?

Mae rhai Bwdhyddion Mahayana yn credu fod y bodau hyn yn gwir fodoli mewn amser a lle gwahanol i'n cyfnod a'n byd ni, ond eu bod ar gael i'n helpu yma yn y presennol. Mae bodhisattva yn fod sydd, o ran tosturi, wedi gohirio mynd i nirvana er mwyn helpu'r holl fodau sy'n dioddef i gael goleuedigaeth. Felly mae Bwdhyddion yn gallu gofyn iddyn nhw am help ar y llwybr. Er enghraifft, mae'r Bwdhyddion sy'n dilyn traddodiad Amida yn dweud eu bod yn gallu galw arno pan fyddan nhw'n anobeithio ac yn meddwl na chyraeddan nhw fyth mo'r goleuni drwy eu hymdrechion ei hunain. Bydd Amida wedyn yn sicrhau eu bod yn cael eu geni yn y Tir Pur.

Mae Bwdhyddion Mahayanaidd eraill yn credu fod y ffigurau hyn yn cynrychioli agweddau ar y goleuni. Er enghraifft, mae Bwdhydd sydd am ddatblygu tosturi yn gallu myfyrio ar ffigur Avalokitesvara, a'i holl bennau a'i holl freichiau. Mae'r pennau'n dangos ei allu goruwchnaturiol i deimlo dioddefaint pob peth byw, ac mae ei holl freichiau yn dangos ei allu i gyflawni gweithredoedd tosturiol. Mae Bwdhyddion yn credu y gallwch ddatblygu tosturi ynoch chi eich hunan, drwy fyfyrio neu feddwl am dosturi.

A'r Bwdha hanesyddol?

Dydy'r Bwdha hanesyddol (Shakyamuni yw ei enw mewn Bwdhaeth Mahayana fel arfer) ddim yn bwysicach nac yn llai pwysig na bodau goleuedig eraill. Fel Bodhisattva, yn lle aros yng ngwynfyd nirvana o dan y goeden bodhi, daeth yn ôl i'r byd yma, o ran tosturi, i ddysgu i bobl y ffordd allan o ddioddefaint.

Mewn ffurf o Fwdhaeth Japaneaidd o'r enw Bwdhaeth Nichiren, sy'n dilyn ysgrythur y Lotws Sutra, dydy'r Bwdha ddim yn cael ei weld fel person hanesyddol. Yn hytrach, mae'n cynrychioli egwyddor Bod-yn-Fwdha, neu realiti sylfaenol. Mae Bwdhaeth bob amser yn cysylltu'r Bwdha â'i ddysgeidiaeth, y Dharma. Mae'r Lotws Sutra yn gweld y ddau fel yr un peth. Hynny yw, y Bwdha ydy'r Gwirionedd, neu'r ffordd y mae pethau mewn gwirionedd. Nid person ydy'r Bwdha ond, yn hytrach, grym y gwirionedd sydd bob amser yn bresennol.

Mae ffurf arall o Fwdhaeth, sef Zen, yn credu fod syniadau a chysyniadau'r ysgrythurau yn gallu tynnu'ch sylw oddi wrth y llwybr at oleuedigaeth. Mae'r Meistr Zen Chineaidd o'r 9fed ganrif, Lin Chi, yn enwog am ddweud 'Os dewch ar draws y Bwdha yn eich llwybr, lladdwch ef.' Pwrpas siarad fel hyn yw syfrdanu pobl a gwneud iddyn nhw sylweddoli'r perygl o ddatblygu ymlyniad wrth athrawon neu syniadau sydd, er eu bod yn grefyddol, yn eu hatal rhag profi'r gwirionedd.

Crynodeb o'r gwahanol ffyrdd o ganfod y Bwdha

Theravada	Mahayana
Dim ond un Bwdha sydd	Mae llawer o Fwdhâu
Mae'r Bwdha'n berson dynol	Mae Bwdhâu nefol/mae'r Bwdha'n cynrychioli realiti sylfaenol
Mae'r Bwdha'n esiampl	Yn ogystal â bod yn esiampl, mae bodau goleuedig yn helpu eraill at oleuedigaeth
Mae cael goleuedigaeth yn beth prin	Mae natur-y-Bwdha ym mhawb ac mae Bod-yn-Fwdha yn bosibilrwydd

Mae'r cerflun yma o'r Bwdha ym Mynachlog Amaravati yn swydd Hertford. Ydy hi'n od gweld eira ar gerflun o'r Bwdha? Efallai fod hynny am ein bod yn anghofio mor bell mae Bwdhaeth wedi lledaenu, a chymaint o wahanol fathau o Fwdhaeth sy'n bod.

Tasgau

Tasg ymchwil	Gan ddefnyddio'r rhyngrwyd a ffynonellau eraill, chwiliwch am wybodaeth am y bodau goleuedig hyn, a rhowch gyflwyniad i'r dosbarth yn egluro'r symbolaeth yn y lluniau a'r cerfluniau: ***Aksobhya*** ***Amoghasiddhi*** ***Vairocana*** ***Ratnasambhava*** ***Amitabha*** ***Tara***
Tasgau sgrifennu	Archwiliwch y cysylltiad rhwng doethineb a thosturi. Gwerthuswch y farn fod Bwdhyddion yn addoli'r Bwdha. Sut allai 'darlunio' bod goleuedig yn eu meddwl helpu Bwdhyddion? Oedd agwedd Lin Chi tuag at y Bwdha yn amharchus? Eglurwch sut mae'r syniad o 'Bwdha' yn cael ei ddeall mewn gwahanol fathau o Fwdhaeth. Gwerthuswch y farn fod dealltwriaeth Bwdhaeth Mahayana o Fod-yn-Fwdha yn gwyrdroi Bwdhaeth go iawn.

Geirfa

Aksobhya	Un o'r pum Bwdha dhyani. Ystyr ei enw yw 'digyffro' ac mae'n gysylltiedig â'r lliw glas.
Amoghasiddhi	Un o'r pum Bwdha dhyani. Ystyr ei enw yw 'llwyddiant heb rwystr' ac mae'n gysylltiedig â'r lliw gwyrdd.
Avalokitsevara	Bodhisattva tosturi. Mae ei enw'n golygu 'yr un sy'n clywed crïo'r byd.'
Bodhisattva	'Bod Goleuedig'. Mewn Bwdhaeth Mahayana, bod sydd wedi gohirio mynediad i nirvana er mwyn helpu eraill.
bod-yn-Fwdha	Cyflwr mae Bwdhyddion Mahayana yn dweud y gall pawb ei gyrraedd.
natur-y-Bwdha	Mae Bwdhaeth Mahayana yn dweud fod gan bob peth creadur byw natur-Bwdha cudd mae angen ei ddatgelu.
Bwdhâu nefol	Bwdhâu sy'n byw mewn teyrnasoedd y tu hwnt i'n teyrnas ddynol ni.
tosturi	Un o ddwy brif nodwedd Bwdha neu Fodhisattva; y llall yw doethineb.
Manjusri	Bodhisattva doethineb.
Bwdhaeth Nichiren	Ffurf o Fwdhaeth Japaneaidd sy'n derbyn awdurdod ysgrythur y Lotus Sutra.
pratitya samutpada / paticca samuppada	Yn aml yn cael ei gyfieithu fel 'Cydgynhyrchiad wedi'i Gyflyru' (*Conditioned Co-production*), 'Tarddiad Rhyngddibynnol' (*Interdependent Origination*). Disgrifiad o realiti, yn dynodi bod yr holl ffenomenâu wedi'u cysylltu â'i gilydd yng ngylch achos ac effaith
Ratnasambhava	Un o'r pum Bwdha dhyani. Ystyr ei enw yw 'yr un gem-anedig' ac mae'n gysylltiedig â'r lliw melyn.
samsara	Y cylch diddiwedd o eni, marw ac aileni a chaethiwed dukkha.
Tara	Bod goleuedig benywaidd sy'n cael ei pharchu gan Fwdhyddion Tibetaidd.
Vairocana	Un o'r pum Bwdha dhyani. Ystyr ei enw yw 'y goleuwr' ac mae'n gysylltiedig â'r lliw gwyn.
Vishva-vajra	Y taranfollt dwbl, yn cynrychioli effaith goleuedigaeth filgwaith a mwy.
doethineb	Un o ddwy brif nodwedd Bwdha neu Fodhisattva; y llall yw Tosturi.
Zen	Ffurf Japaneaidd o Fwdhaeth Mahayanaidd sy'n pwysleisio fod nirvana yn bod yma a nawr.

Adran 2

Nod yr Adran

Mae'r adran hon yn canolbwyntio yn gyntaf ar ddysgeidiaethau allweddol y Bwdha, ac ar seiliau athronyddol y grefydd. Wrth drafod y dysgeidiaethau allweddol, mae'n bwysig ystyried sut i'w harchwilio a'u disgrifio, a meddwl am ffyrdd o'u hegluro yn eich geiriau eich hun.

Yn ail, mae'n archwilio sut mae Bwdhyddion yn arfer eu cred. Byddwn yn canolbwyntio at bwysigrwydd y Sangha, neu gymuned, y Llwybr Wythplyg Nobl, a'r ddau arfer sy'n fwyaf cysylltiedig â Bwdhaeth; myfyrdod a puja. Mae'n bwysig i chi feddwl sut mae'r arferion hyn a bywyd y gymuned yn adlewyrchu credoau Bwdhaeth.

Wrth astudio'r adran hon, mae'n bwysig cofio fod Bwdhaeth yn grefydd lawn amrywiaeth, yn cynnwys llawer o wahanol gredoau ac arferion.

Tair Nodwedd Bodolaeth a'r Pedwar Gwirionedd Nobl

Nod

Yn y bennod yma byddwch yn dysgu sut mae Bwdhaeth yn disgrifio'r cyflwr dynol, ac yn deall beth mae hynny'n ei olygu. Dylech fod yn gallu ymateb i ddysgeidiaeth tair nodwedd bodolaeth a'r pedwar gwirionedd nobl, a gallu dangos drwy ddefnyddio enghreifftiau a disgrifiadau, eich bod yn deall beth maen nhw'n ei olygu.

Y Dharma

Enw dysgeidiaeth Bwdhaeth yw'r dhamma (P) neu'r dharma (S), sy'n golygu 'dysgeidiaeth' neu 'gwirionedd'. Geiriau'r Bwdha yw'r dharma, ond mae hefyd yn cynnwys unrhyw ddysgeidiaeth sy'n helpu ar y ffordd at oleuedigaeth. Mae Bwdhyddion yn credu fod y dharma mor bwysig â'r Bwdha ei hun. Fel y soniwyd yn gynharach, mae'n debyg fod y Bwdha wedi dweud 'Mae'r hwn sy'n gweld y dharma yn fy ngweld i, mae'r hwn sy'n fy ngweld i yn gweld y dharma.' Mae Bwdhyddion yn credu mai'r 'Sangha' ynghyd â'r 'Bwdha' a 'Dharma' yw tair sylfaen bwysig y grefydd.

Tair Nodwedd Bodolaeth: *Y lakshanau*

Un o'r peth cyntaf wnaeth y Bwdha ar ôl iddo gyrraedd y goleuni oedd egluro beth, yn ei farn ef, oedd y cyflwr dynol. Yn ôl Bwdhyddion, dim ond tri pheth y gallwn fod yn gwbl sicr ohonyn nhw. Does dim modd i ni wybod a gafodd y byd ei greu gan dduw, a oes bywyd ar ôl marwolaeth neu unrhyw beth felly. Y cwbl y gallwn fod yn sicr ohono yw bod tair nodwedd i fodolaeth.

Dukkha (P) /duhkha (S)	dioddefaint/natur anfoddhaol
Anicca (P) /anitya (S)	byrhoedledd (y syniad nad oes dim yn parhau)
Anatta (P) /anatman (S)	dim hunan parhaol

Myfyrdod

Oes unrhyw beth mewn bywyd y gallwch fod yn gwbl sicr ohono?

Dukkha

Mae Dukkha yn air anodd iawn i'w gyfieithu. Gan amlaf, mae'n cael ei gyfieithu fel 'dioddefaint', ond mae llawer o ysgolheigion Bwdhaeth yn rhybuddio nad dyna'i unig ystyr. Ym marn Walpola Rahula, mae'r cyfieithad hwn yn 'anfoddhaol dros ben ac yn gamarweiniol. Oherwydd y cyfieithad cyfyngedig, llac yma, a'r modd arwynebol mae'n cael ei ddehongli, mae llawer o bobl wedi cael eu camarwain i feddwl fod Bwdhaeth yn besimistaidd.'[3] Mae John Snelling, yn ei lawlyfr i Fwdhaeth, yn ein rhybuddio fod gan y term 'sbectrwm eang o ystyron'. 'Ar y naill law', meddai, 'mae'n cynnwys y ffurfiau mwyaf erchyll o boen meddwl a chorff: artaith cancr, er enghraifft, a thristwch dwys rhywun sy'n syrthio i anobaith llwyr. Mae'n cynnwys hefyd ein mân boenau bob-dydd, y pethau bach sy'n gas gennym neu sy'n achosi rhwystredigaeth; ac mae'n cynnwys hefyd deimladau anodd eu diffinio o anniddigrwydd ac annigonolrwydd; fod bywyd byth yn berffaith.'[4]

Fel mae J. Glyndwr Harris yn dweud yn ei arweiniad i Fwdhaeth, mae Dukkha yn 'golygu mwy na phoen corfforol. Y mae'n cynnwys afiechyd, aflonyddwch meddyliol, culni, ac ing ysbrydol. Nid oes un gair sy'n gwneud cyfiawnder ag ystyr wreiddiol y gair hwn ond nid yw'r syniadau a gyfleir ganddo yn hollol besimistaidd. . . . Os edrychwn ar y ddysgeidiaeth am DUKKHA fel dadansoddiad o'r ing fewnol sy'n rhan o brofiad dyn sy'n gaeth i'r chwantau naturiol ond sy'n arwain i feddyginiaeth ac iachâd nid yw'n syniad anobeithiol.'[5]

Disgrifiad o'r cyflwr dynol ydy Dukkha. Mae'n cyffwrdd â phopeth, hyd yn oed hapusrwydd. Wnaeth y Bwdha erioed ddweud nad oedd hi'n bosibl bod yn hapus mewn bywyd (roedd ef ei hun wedi bod yn hapus iawn tra'r oedd yn byw ym mhalas ei dad), dim ond dweud nad oedd yr hapusrwydd yma yn parhau. Am nad ydy unrhyw hapusrwydd yn parhau am byth, mae pob hapusrwydd wedi ei 'lygru'.

Y ffordd orau o geisio deall hyn yw meddwl am enghreifftiau o'ch bywyd. Pryd oeddech chi fwyaf hapus: yn ystod gwyliau perffaith, mewn cyngerdd pop, neu wrth fynd am dro yn y wlad? Neu'n treulio amser gyda'r teulu, ffrindiau neu berson arbennig? Meddyliwch am yr adeg honno. Does dim dwywaith amdani, roeddech chi'n hapus iawn! Ond y cwestiwn fyddai'r Bwdha am ei ofyn ydy, oeddech chi'n berffaith hapus?

Wrth i chi geisio cofio'r teimlad o hapusrwydd ar y pryd, oes unrhyw deimladau eraill yn codi? Mae hyd yn oed yr adegau gorau yn dod i ben. Gall gwyliau bendigedig fod yn brofiad chwerw-felys. Hyd yn oed os ydych lle roeddech wedi breuddwydio am fod, yn gwneud pethau rydych wrth eich bodd yn eu gwneud, gyda phobl rydych yn hoffi bod gyda nhw (tipyn o gamp!), gyda phob diwrnod sy'n mynd heibio, mae'r gwyliau'n dod i ben, a chithau ddiwrnod yn agosach at ddiflastod bywyd bob dydd a'r hen deimlad bore-Llun yna. Yn wir, gall poeni am fore Llun fod yn waeth pan fyddwch yn cael amser gwych nag o dan amgylchiadau normal! Gall y diflastod wneud i chi fwynhau llai. Mae'n llygru. Dydy hynny ddim yn golygu nad ydych yn mwynhau'r gwyliau, efallai mai dyna'r amser gorau a gawsoch yn eich bywyd erioed, ond dydy e ddim yn dod â hapusrwydd perffaith i chi, hapusrwydd 'llwyr'.

Myfyrdod

Beth ydy hapusrwydd?

Y 'llygredd' yma ydy dukkha. Dydy hynny ddim yn golygu dioddefaint, dim ond nad ydy'ch hapusrwydd yn berffaith, llwyr, a chyflawn. Nid dim ond mater o bob peth da yn dod i ben yw dukkha, ond y ffaith fod popeth yn amherffaith, yn y bôn. Efallai fod 'natur anfoddhaol' yn gyfieithad sy'n fwy o help i ni, ond mae'n bwysig dadansoddi ystyr hyn. Wedi'r cwbl, dwedodd y Bwdha fod dukkha yn cyffwrdd â phopeth sy'n bodoli – mae'n un o 'nodau' neu 'nodweddion' bodolaeth. Mae hyn yn golygu ei fod yn gysyniad athronyddol sylfaenol mae angen llawer o egluro arno.

Myfyrdod

Allwch chi feddwl am unrhyw adegau yn eich bywyd pan oeddech chi'n teimlo dukkha? Ym mha ffyrdd ydych chi'n teimlo dukkha nawr?

Pwnc seminar

Pa enghreifftiau fyddech chi'n eu rhoi i egluro'r syniad o dukkha i rywun oedd erioed wedi clywed am y fath beth?

Anicca/Anitya – Byrhoedledd

Dyma'r ail o'r tri peth mae Bwdhyddion yn dweud y gallwn fod yn sicr eu bod yn wir. I Fwdhyddion, mae pob peth (pobl, pethau, cyflwr meddwl, perthynas, teimladau, popeth!) yn dibynnu ar achosion ac amodau, ac felly maen nhw'n newid drwy'r amser. Does dim byd yn parhau am byth.

Enghraifft dda o hyn yw'r blodau bydd Bwdhyddion yn aml yn gosod yn eu mannau sanctaidd. Dydy blodau iawn ddim yn bodoli am byth. Mae'n amlwg eu bod yn dibynnu ar ddŵr i'w cadw'n fyw, a heb ddŵr (ac mae dŵr yn anweddu – dydy e ddim yn sefydlog, mae'n newid drwy'r amser) mae amodau bodolaeth y blodyn yn newid ac mae'n gwywo, yn dirywio. Mae blodyn yn enghraifft da o fyrhoedledd pob peth, am eich bod yn gallu gweld blodyn yn newid ac yn gwywo. Yn ôl Bwdhaeth, mae popeth yn fyrhoedlog. Gallech feddwl y byddai blodyn plastig yn para am byth ond mae'n dirywio hefyd, ddim ond yn fwy araf na blodyn byw. Mae hyd yn oed y pethau sy'n ymddangos yn fwyaf cadarn, fel tir neu fynyddoedd, mewn gwirionedd mewn fflwcs (yn newid yn barhaol).

Anatta/Anatman – dim hunan parhaol

Pan ddwedodd y Bwdha nad oedd dim yn parhau, roedd yn golygu popeth, yn cynnwys yr hunan. Mae'r rhan fwyaf o grefyddau'n dadlau fod yr enaid, neu'r gwreichionyn mewnol neu hanfod y person, yn dragwyddol. Mae'r grefydd y magwyd y Bwdha ynddi yn sôn am yr atman, yr 'enaid' neu'r 'hunan' tragwyddol a digyfnewid. Ond roedd y Bwdha'n dadlau mai camgymeriad oedd meddwl fel hyn. Roedd yr hunan, meddai, yn dibynnu ar gyfarfyddiad pum 'skandha' neu fwndel, sydd oll yn newid. Y skandhau hyn yw Ffurf (y corff), Teimlad, Gweledigad, Galluoedd Meddyliol (ysgogiad ac arferion) ac Ymwybyddiaeth. Allwch chi ddim dweud bod yr un o'r rhain yn enaid neu hanfod y person, ddim hyd yn oed ymwybyddiaeth, oherwydd does dim ymwybyddiaeth yn bodoli heb fod yn ymwybodol o rywbeth (hynny yw, dydy ymwybyddiaeth ddim yn barhaol nac yn ddigyfnewid, felly nid dyna'r enaid). Oherwydd fod yr hunan yn ddibynnol ar y pum skandha cyfnewidiol yma, mae'r hunan felly mewn fflwcs o newid parhaus, yn ddibynnol ac yn fyrhoedlog.

Yn ogystal â gwrthod y syniad o fytholdeb neu dragwyddoldeb (hynny yw, y syniad fod unrhyw beth, e.e. yr enaid, yn parhau am byth), roedd y Bwdha hefyd yn gwadu nihiliaeth (y syniad mai marw yw diwedd pob peth). Gan fod y Bwdha'n dweud fod y person yn fwy na'r corff (h.y., doedd e ddim yn faterolydd) neu, mewn geiriau eraill, nid skandha 'Ffurf' yw hanfod y person, yna mae'n dilyn nad ydy bywyd person ar ben pan fydd eu corff yn marw. Dim ond un skandha yw'r corff – mae'r cwbl yn newid drwy'r amser, ond dydy diwedd un ddim yn golygu diwedd y cwbl.

Mae'r rhan fwyaf o grefyddau'n dweud, er nad yw pethau yn y greadigaeth yn barhaol, fod rhai pethau'n para am byth, fel yr enaid, neu dduw, neu 'fywyd tragwyddol'. Sut ydych chi'n credu fyddai Bwdhydd yn ymateb i'r fath syniadau?

Pwnc seminar

Ydych chi'n credu mai'r cyfuniad o skandhau yw'r ffordd orau o ddisgrifio 'yr hunan'?

Beth am aileni?

Un ffordd o egluro'r berthynas rhwng y bywyd yma a'r bywyd nesaf yw'r enghraifft o fflam cannwyll yn cynnau fflam cannwyll arall. Ai'r un fflam yw'r ddwy fflam? Wel na, ddim yn union. Ond y fflam gyntaf yw achos yr ail fflam. Enghraifft arall yw'r berthynas rhwng llaeth a iogwrt. Ai'r un peth ydyn nhw? Nage, ddim yn union, ond y llaeth yw un o'r pethau sy'n achosi'r iogwrt.

Felly syniad Bwdhaeth am aileni yw fod bywyd sydd wedi cael ei fyw yn ffurfio achos bywyd arall (neu nirvana). Cysylltiad achos-ac-effaith yw hyn, nid enaid yn teitho o gorff i gorff (fel yr atman tragwyddol yn meddiannu un corff ar ôl y llall).

Bydd pobl yn aml yn gofyn i Fwdhyddion, 'os nad yw'r hunan yn bod, yna beth sy'n cael goleuedigaeth?'

Weithiau mae'n cwestiwn yn codi am fod pobl wedi camddeall ac yn meddwl fod Bwdhyddion yn dweud nad oes hunan o gwbl. Dydyn nhw ddim yn dweud hynny. Maen nhw'n dweud nad oes hunan sefydlog neu barhaol. Mae yna berson, ond mae'r person hwnnw mewn fflwcs – yn newid drwy'r amser.

Pa rai o nodweddion y person yma sy wedi newid? Oes unryw rai wedi aros yr un fath? Fyddan nhw'n aros yr un fath am byth?

Mae pobl yn rhoi llawer o enghreifftiau i egluro hyn, fel geiriau'r athronydd Groegaidd, Heraclitws, oedd â syniadau tebyg iawn i rai'r Bwdha, 'Fedrwch chi ddim camu i'r un afon ddwywaith'. Neu, yng ngeiriau R. Williams Parry: 'Hon ydyw'r afon, ond nid hwn yw'r dŵr/ A foddodd Ddafydd Ddu.' Meddyliwch am hynny – mae'n wir, er nad yw hynny'n amlwg ar unwaith. A nid yr un person yn union fydd person ar adeg neilltuol yn eu bywyd â'r person hwnnw flwyddyn yn ddiweddarach. Byddai Bwdhydd yn dweud wrth gwrs fod rhywfaint o barhad rhwng person y llynedd a pherson eleni, ond allech chi ddim dweud 'dyma'r un person yn union'. Yn wir, mae bywyd person fel darn o raff. Mae'r rhaff wedi ei gwneud o edefynnau o wahanol hyd, rai ohonyn nhw'n fyr iawn, ond pan fydd y rhaff wedi ei phlethu, mae'n ymddangos fel un darn parhaus. Pe baech yn dadansoddi'r rhaff, fe welech ei bod wedi ei gwneud o edefynnau byr; pe baech yn dadansoddi'ch hunan, byddech yn gweld fod yr hunan wedi ei wneud o skandhau sy'n newid beunydd. Mae dadansoddi ei hun yn un o'r pethau mae Bwdhydd yn ei wneud wrth fyfyrio.

Myfyrdod

Meddyliwch am rywbeth ddigwyddodd i chi yn blentyn. Ydy e'n teimlo fel rhywbeth ddigwyddodd i chi neu i rywun arall? Sut mae'ch barn am yr atgof yn helpu i egluro beth ydy anatta?

Enghraifft arall sy'n helpu i egluro'r syniad o anatta yw'r stribed ffilm.

Wrth wylio'r ffilm, rydych yn gweld symudiadau parhaus. Ond, o ddadansoddi'r ffilm, rhith yw hyn wedi ei greu gan luniau llonydd. Rydych yn gweld llun, yna mae wedi mynd, yn gweld un arall - ac mae hwnnw wedi mynd. Dyna fel mae'r hunan. Mae'n ymddangos fel pe bai'n barhaus. ond ymddangosiad ydy hynny, sy'n dibynnu ar bethau sy'n mynd allan o fodolaeth o hyd.

Darlleniad Nagasena a'r Cerbyd Rhyfel

Darn yw hwn o Cwestiynau'r Brenin Milinda (Y Milindapanha), trafodaeth yn yr iaith Pali o frenin Groegiadd (roedd y Groegiaid yn rheoli rhan o India o'r drydedd ganrif COG. Roedd y Brenin Milinda yn byw yn yr ail ganrif COG).

Cyfarchodd y Brenin Milinda yr Hybarch Nagasena, a gofynnodd y Brenin iddo, 'Beth mae pobl yn eich galw, beth yw eich enw?'
'Nagasena mae'r mynachod eraill yn fy ngalw, eich Mawrhydi. Ond er bod fy rhieni wedi rhoi'r fath enw i mi ... dim ond term sy'n cael ei ddeall yn gyffredin ydyw, enw ymarferol. Dydy defnyddio'r gair ddim yn awgrymu bodolaeth unigolyn parhaus.'
Dwedodd y Brenin, 'Os felly, os nad oes y fath beth ag unigolyn parhaus, pwy sy'n rhoi i chi fynachod eich dillad, a'ch bwyd, llety a moddion? A phwy sy'n eu defnyddio? Pwy sy'n byw bywyd da, yn myfyrio ac yn cyrraedd nirvana? Pe bai rhywun yn eich lladd, ni fyddai'n fater o lofruddiaeth'.
'Os yw'ch brodyr o fynachod yn galw Nagasena arnoch chi, beth wedyn yw Nagasena? Fyddech chi'n dweud mai'ch gwallt yw Nagasena?' meddai'r Brenin.
'Na, eich mawrhydi,' atebodd Nagasena.
'Neu'ch ewinedd, dannedd, croen neu rannau eraill o'ch corff, neu ffurf allanol, neu deimlad, neu weledіad, neu greadigaethau'r meddwl neu ymwybyddiaeth? Allwch chi ddweud mai un o'r rhain yw Nagasena?'
'Na, eich mawrhydi' ...
'Felly, er yr holl ofyn, dwi ddim wedi dod o hyd i Nagasena. Dim ond sain yw Nagasena. Mae beth ddwedoch chi, hybarch gyfaill, yn ffug!'
Yna siaradodd Nagasena â'r Brenin.
'Eich Mawrhydi, sut ddaethoch chi yma – ar droed neu mewn cerbyd?'
'Mewn cerbyd rhyfel.'
'Wel, dwedwch wrtha'i beth yw'r cerbyd rhyfel? Ai'r polyn yw'r cerbyd rhyfel?'
'Na, barchus gyfaill' meddai'r Brenin.
'Neu'r echel, yr olwynion, y ffrâm, y ffrwyn, yr iau, y chwip?'
'Na, does dim un ohonyn nhw'n gerbyd rhyfel.'
'Ydy'r cerbyd rhyfel yn rhywbeth arall te, heb law ar y gwahanol ddarnau?'
'Na, barchus gyfaill'.
'Felly, er yr holl ofyn,, dwi ddim wedi dod o hyd i gerbyd rhyfel. Dim ond sain yw'r cerbyd rhyfel. Beth, felly yw'r cerbyd rhyfel? Mae'n amlwg fod beth ddwedodd eich Mawrhydi yn anwir. Does dim cerbyd rhyfel!'...
'Ddwedais i ddim anwiredd' atebodd y Brenin. 'Oherwydd yr holl ddarnau gwahanol hyn, y polyn, yr echel, yr olwynion ac yn y blaen rydyn ni'n galw'r peth yn gerbyd rhyfel. Term mae pawb yn ei ddeall, enw ymarferol ar y peth.'
'Da iawn, eich Mawrhydi! Rydych yn gwybod beth yw ystyr y term cerbyd rhyfel. Ac mae'n union 'run fath gyda fi, Oherwydd gwahanol rannau fy modolaeth mae pobl yn fy adnabod wrth y term mae pawb yn ei ddeall, yr enw ymarferol. Nagasena.'

Addaswyd o'r cyfieithad gan Merv Fowler[6]

Pwnc seminar

Eglurwch beth oedd Nagasena yn ceisio ei ddweud wrth y Brenin.

Beth mae Bwdhyddion yn ei feddwl drwy ddweud fod yr hunan yn ddibynnol ar achosion ac amodau?

Eglurwch pam nad ydy Bwdhaeth yn fytholaidd nac yn nihilistaidd.

Y Pedwar Gwirionedd Nobl

Dwedodd y Bwdha wrth y bobl am y Pedwar Gwirionedd Nobl yn ei bregeth gyntaf ym Mharc y Ceirw, Isipatana.

Y pedwar gwirionedd yw:

1) Dukkha
2) Samudaya (achos dukkha)
3) Nirodha (diwedd dukkha)
4) Magga (y llwybr)

Mae'r gwirioneddau yma'n cael eu hegluro fel arfer fel yma:

Dukkha ydy bywyd i gyd.
Mae dukkha'n cael ei achosi gan tanha ('syched', chwennych, ymlyniad, chwant).
Mae'n bosibl trechu tanha a felly mae'n bosib trechu dukkha.
Mae'n bosibl trechu tanha drwy ddilyn y llwybr.

Lleian Ch'an (Zen) o Taiwan yw Man Yao. Aeth yn lleian ym 1986 yn 24 oed, a rhoddwyd iddi ei henw dharma, Man Yao, sy'n golygu 'disgleirio'n llwyr'. Cyn iddi fynd yn lleian, roedd yn wraig fusnes lwyddiannus, yn y diwydiant mewnforio ac allforio. Penderfynodd fynd yn lleian am ei bod wedi sylweddoli 'nad yw arian yn perffeithio eich meddwl'.

Ffordd draddodiadol arall o'u disgrifio yw fel: 'Yr Afiechyd, yr Achos, Y Gwellhad, y Moddion.'[7]

Y gwirionedd cyntaf yw'r laksana, neu'r nodwedd fodolaeth gyntaf hefyd (gweler tud 27). Dyma ddisgrifiad y Bwdhydd o'r cyflwr dynol neu, mewn geiriau eraill, y diagnosis o'r 'salwch' rydym i gyd yn dioddef ohono. Dyma beth sy'n bod. Dydy'r Bwdhydd ddim yn meddwl fod y dadansoddiad hwn yn besimistaidd nac yn optimistaidd, dim ond yn realistig. Cydnabod fod bywyd i gyd yn dukkha ydy'r cam cyntaf tuag at wella hynny.

Mae grym positif Bwdhaeth yn dod o'r tri gwirionedd sy'n dilyn. Maen nhw'n dangos beth ydy'r broblem, beth ydy achos y broblem a sut mae ei datrys. Mae pob peth sydd wedi'i gyflyru wedi cael ei achosi gan rywbeth, ac mae dukkha'n cael ei achosi gan tanha, 'syched' yn llythrennol, er ei fod yn cael ei drosi fel rheol fel ymlyniad neu chwant. Er ei bod yn hawdd deall beth yw'r berthynas rhwng tanha a dukkha yn arwynebol, mae'n waith bywyd cyfan, yn ôl Bwdhyddion, neu sawl bywyd, o bosib, i ddeall y peth yn llawn. Enghraifft hawdd yw trachwant am beth gall arian ei brynu.

Mae pobl bob amser wedi dweud nad yw arian yn gallu prynu hapusrwydd, ac mae pobl gyfoethog (yn enwedig rhai barus) yn gallu bod yn anhapus iawn. Mae Bwdhyddion yn dweud mai trachwant sy'n ein gwneud yn anfodlon, eisiau rhagor, mwy a gwell o hyd, a'n bod yn dioddef am na allwn eu cael. Dydyn ni byth yn fodlon ar beth sydd gyda ni, yn dyheu am fwy o hyd. Enghraifft wych o'r sefyllfa hon yw'r ysbryd newynog (preta), yn y diagram o Olwyn Bywyd (gweler tud 42). Mae'r bol mawr yn arwydd o archwaeth anferth, ond am fod eu cegau a'u gyddfau mor fach, dydyn nhw byth yn gallu cael digon. Maen nhw'n dioddef o syched erchyll, ond yn gorfod yfed dŵr tanllyd a llygredig.

Pwnc seminar

Mae rhai pobl yn meddwl am deyrnas yr ysbrydion newynog fel dimensiwn arall o fodolaeth, ac eraill yn meddwl ei bod yn symbol o gyflwr y gall pobl fynd iddo am gyfnodau o amser. Pa mor effeithiol ydy'r symbol yma?

Ond dim ond un o'r holl wahanol fathau o tanha yw dyheu am bethau materol, ac un o'r rhai mwyaf hawdd ei drin ag ef. Mae mathau eraill o ymlyniad yn cynnwys ymlyniad wrth bobl, neu wrth gred neilltuol. Gallech feddwl ei fod yn beth da teimlo'n agos at rywun, ond yn ôl Bwdhaeth, mae'n beth gwael os mai sail y berthynas yw beth allwch chi gael ohoni. Os ydy hi'n berthynas lle rydych chi'n 'rhoi', yna mae'n bositif, ond os ydy hi'n berthynas lle rydych chi'n 'cymryd', yna mae'n negyddol ac yn bwydo dukkha.

Pwnc seminar

Ydy Bwdhydd yn gallu cyfiawnhau bod mewn cariad?

Mae ymlyniad wrth gredoau arbennig yn ffurf o tanha sy'n achosi dukkha. Yn ôl y Bwdhydd, mae'r Ffordd Ganol yn golygu mwy nag osgoi eithafion pleser a chaledi, mae hefyd yn golygu osgoi syniadau eithafol am natur bodolaeth, fel nihiliaeth neu fytholaeth, neu'r cwestiwn a oes creawdwr, neu a oes bywyd ar ôl marwolaeth. Dyfalu metaffisegol yw syniadau o'r fath, yn ôl y Bwdha, oherwydd allwn ni ddim profi a ydyn nhw'n wir ai peidio, a hyd yn oed pe byddem yn gallu, fyddai hynny ddim yn helpu yn y frwydr i guro dukkha. Mae dameg y saeth wenwynig yn egluro.

Y Cyflwr Dynol: Mae angen gwella ein dioddefaint, ond yn lle derbyn cymorth, rydyn ni'n dechrau dyfalu ynglŷn â phethau, sy'n gwneud ein gofid yn waeth.

Dameg y Saeth Wenwynig

Mae fel pe bai dyn wedi cael ei daro gan saeth wenwynig; byddai ei ffrindiau a'i berthnasau'n anfon am feddyg. Ac efallai y byddai'r dyn yn dweud 'Dwi ddim yn mynd i dynnu'r saeth heb gael gwybod p'run ai Brahmin, Kshatriya, Vaishya neu Shudra oedd y dyn a'm trawodd….heb i mi wybod ei enw a'i deulu .... a oedd yn dal, yn fyr neu o daldra canolig…'. Fyddai'r dyn yna ddim yn cael gwybod y pethau hyn, ond byddai'r dyn yna'n marw.

Majjhima Nikaya i. 429 Addaswyd o drosiad yn R. Gethin, The Foundations of Buddhism, Rhydychen, OPUS, 1998

Heb law am yr ymlyniadau hyn, rydych hefyd yn glynu wrth eich syniad ohonoch chi eich hun, mewn gwahanol ffyrdd. Gallwch fod yn falch o'ch corff neu â syniadau am eich cyfoeth neu'ch llwyddiant. Mae'r darn nesaf, o'r Sutta Nipata, yn egluro'n fyw iawn pan mae poeni am sut rydych chi'n edrych yn afresymol, ac yn gwneud problem ymlyniad yn waeth.

Mae rhai Bwdhyddion yn meddwl ei bod yn gymorth myfyrio ar natur fyrhoedlog ac annymunol y corff, ac mae gan lawer o demlau Bwdhaidd sgerbwd y gall pobl eistedd o'i flaen a myfyrio arno. Mae Bwdhyddion yn rhybuddio hefyd fod hyn yn gallu bod yn beth afiach, neu beryglus hyd yn oed i rywun sy'n dioddef iselder neu sy'n teimlo'n negyddol ynglŷn â'r corff beth bynnag.

Darlleniad Myfyrio ar y Corff

Fel mae'r corff marw yn ffiaidd, felly hefyd y corff byw; ond oherwydd ei fod wedi ei orchuddio a'i addurno, does neb yn sylwi ar ei ffieidd-dra. Yr hyn yw'r corff mewn gwirionedd yw casgliad o fwy na thri chant o esgyrn, wedi eu ffurfio'n gyfanwaith drwy gyfrwng cant wythdeg o gymalau. Caiff ei ddal ynghyd gan naw cant o dendonau gyda naw cant o gyhyrau drostynt, ac mae ganddo orchudd allanol o gwtigl llaith wedi ei orchuddio gan groen yn llawn mandyllau, sy'n chwysu a diferu drwy'r amser, fel tegell llawn saim. Mae'n dioddef o fermin, heintiau a phob math o ddiflastod. Drwy ei naw agoriad mae'n chwydu mater o hyd, fel cornwyd wedi crynhoi. Daw mater o'r ddwy lygad, cwyr o'r clustiau, llysnafedd o'r trwyn, ac o'r geg daw bwyd, bustl, fflem a gwaed, ac o ddau agoriad isaf y corff, wrin a charthion, tra bod naw-deg-naw mil o dyllau'r croen yn chwysu baw sy'n denu clêr du a phryfed eraill. ... Ond pan fydd dynion, drwy bigo a phoeri ac ymolchi, wedi glanhau eu dannedd a gweddill eu cyrff, ac wedi cuddio eu noethni â dillad hardd, ac wedi eneinio â phersawr lliwgar, ac addurno eu hunain â blodau ac addurniadau, maen nhw'n gallu credu yn 'fi' a 'fy mhethau i'. Felly, oherwydd eu bod yn gallu cuddio y tu ôl i'r addurniadau hyn mae pobl yn methu cydnabod ffieidd-dra hanfodol eu cyrff, a dynion yn cael pleser mewn menywod, a menywod mewn dynion. Mewn gwirionedd, fodd bynnag, nid oes y rheswm lleiaf na chyfiawnhad dros fod yn fodlon.

Tystiolaeth i hyn yw'r ffaith os bydd unrhyw ran o'r corff yn cwympo ymaith, blewyn o'r pen neu flewyn o'r corff, ewinedd, dannedd, fflem, llysnafedd, carthion neu wrin, does neb hyd yn oed am gyffwrdd ag ef, mae'n boendod, yn gywilydd ac maen nhw'n ei gasáu. Ond am yr hyn sydd ar ôl, er bod hwnnw'n ffiaidd yn yr un modd, mae dynion mor ddall ac mor angerddol o hoff o'u hunain nes eu bod yn credu fod y corff yn rhywbeth deniadol, hyfryd, parhaus, dymunol ac yn Ego.

Suttanipata I;11, v1-14, o Whitfield Foy, Man's Religious Quest, Llundain Gwasg y Brifysgol Agored, 1978 tt210-211

Pwnc seminar

Ydych chi'n meddwl fod dysgeidiaeth y Bwdha ar y mater yma yn rhy eithafol? Neu a allai fod o help i rai pobl? Sut mae meddwl yn y ffordd yma am y corff yn helpu pobl i deimlo llai o ymlyniad?

Y trydydd gwirionedd nobl, 'nirodha' neu darfyddiad, yw y gall tanha gael ei orchfygu, a felly y gall dukkha gael ei orchfygu hefyd. Dyma beth mae rhai pobl yn ei alw'n 'newyddion da' Bwdhaeth, ac mae'n wirionedd sy'n dilyn o'r syniad Bwdhaidd o gyswllt, fel yn y dywediad 'Pan fydd y naill yn codi, bydd y llall yn codi. Pan fydd y naill yn darfod, bydd y llall yn darfod'. Dydy bod yn rhydd o dukkha ddim yn golygu na fyddwch yn teimlo poen corfforol wedyn. Ond fyddwch chi ddim yn dioddef y poen meddwl sy'n aml yn dod gyda phoen corfforol (h.y. fydd hyn ddim yn arwain at ddyheu pellach). Mae rhywun sydd wedi llwyddo i ddileu pob ymlyniad yn byw yn union fel unrhyw berson arall, ond heb ddioddef y dukkha sy'n gysylltiedig â chwant ac anwybodaeth.

Mae'r pedwerydd gwirionedd, sef 'magga' neu'r ffordd, yn dysgu sut i gael gwared o chwant, anwybodaeth, trachwant a chasineb, gan greu'r amodau iawn ar gyfer goleuedigaeth. Mae peth o'r ddysgeidiaeth hon yn y Llwybr Wythplyg Nobl, y byddwn yn dechrau ei drafod ar dud 45, ond mae'n bwysig cofio am holl wahanol ffurfiau Bwdhaeth, a bod 'y ffordd' yn cael ei disgrifio mewn gwahanol ffyrdd gan Fwdhyddion o wahanol draddodiadau.

Myfyrdod personol

Beth fyddai'n fwyaf hawdd i chi, rhoi'r gorau i'ch eiddo materol (popeth ond y crys amdanoch a llestr cardota) neu roi'r gorau i fod â barn am y byd, neu gred sy'n bwysig i chi, neu gefnogi grŵp pop, tîm rygbi/pêl droed, neu gysylltiad â pherson arbennig?

Tasgau

Tasgau sgrifennu	Eglurwch pam mae 'dioddefaint' yn gyfieithad gwael o'r term dukkha. Eglurwch sut mae dameg y saeth wenwynig yn dangos sut mae pethau amherthnasol yn gallu ymyrryd â'r daith tuag at oleuedigaeth. 'Mae Bwdhyddion yn anghywir pan fyddan nhw'n dweud mai dim ond dyfalu yw cwestiynau am y creu a bywyd ar ôl marwolaeth.' Aseswch pa mor wir ydy'r farn yma.
Drama	Sgrifennwch a pherfformiwch ddrama sy'n egluro'r Pedwar Gwirionedd Nobl
Arolwg	Dyfeisiwch holiadur aml-ddewis i gael ei ateb yn ddienw, i weld a ydy'r dosbarth yn credu fod y Pedwar Gwirionedd Nobl yn berthnasol heddiw. Dangoswch y canlyniadau ar ffurf siart gylch neu siart bar.

Geirfa

anatta/anatman	'Di-hunan.' Y farn nad oes dim mewn person yn parhau yn dragwyddol, heb newid. Un o dair nodwedd bodolaeth (lakshana).
anicca/anitya	'Byrhoedledd' (dim yn parhau) Un o dair nodwedd bodolaeth (lakshana).
dukkha	Y cyflwr dynol. Does dim term cyfatebol boddhaol yn Gymraeg nac yn Saesneg, ac mae'n cael ei gyfieithu yn aml fel 'o natur anfoddhaol' 'anniddigrwydd', 'dioddefaint', ' rhwystredigaeth'. Y cyntaf o'r Pedwar Gwirionedd Nobl ac un o'r lakshanau.
bytholrwydd	Y gred y bydd yr enaid yn para am byth (dydy Bwdhyddion ddim yn fytholwyr).
lakshanau	Tair nodwedd bodolaeth: anatta, anicca, a dukkha.
magga	'Y ffordd' – y Llwybr Wythplyg Nobl.
materoliaeth	Y gred mai dim ond corff ydy person (dydy Bwdhyddion ddim yn faterolwyr).
Milindapanha	Testun Pali enwog, set 'Cwestiynau'r Brenin Milinda.'
Nagasena	Y mynach Bwdhaidd sy'n sgwrsio â'r Brenin Milinda yn y Milindapanha
nihiliaeth	Y gred fod y person yn marw pan fydd y corff yn marw.
nirodha	'Darfyddiad' – y trydydd o'r pedwar gwirionedd nobl: fod modd curo chwant, a dukkha hefyd, felly.
preta	Ysbrydion newynog. Un o'r teyrnasoedd ar y bhavacakra (olwyn bywyd).
samudaya	'Tarddiad' – yr ail o'r Pedwar Gwirionedd Nobl, mai chwant yw tarddiad dukkha.
skandhau	Y pum 'bwndel' sy'n ffurfio person.
tanha	Chwant, syched, ymlyniad.

Aileni a Chysylltiedigrwydd

Nod

Ar ôl astudio'r bennod yma dylech fod yn gallu dangos eich bod yn deall y dysgeidiaethau Bwdhaidd karma ac aileni, a'r ffordd mae'r bhavachakra (Olwyn Bywyd) yn disgrifio dysgeidiaeth pratitya samutpada (cysylltiedigrwydd). Dylech hefyd fod yn gallu asesu yn feirniadol pa mor ddilys yw'r ddysgeidiaeth yma.

Y gred yn India yng nghyfnod y Bwdha oedd fod yr enaid neu'r hunan (atman) wedi ei gaethiwo mewn samsara, cylch geni, marw ac aileni, yn cael ei yrru ymlaen gan bŵer karma o un ailymgnawdoliad i'r nesaf. Roedd natur pob ailymgnawdoliad, a phrofiadau pob bywyd newydd yn dibynnu'n fawr iawn ar ymddygiad mewn bywydau blaenorol yn ogystal ag ymddygiad yn y bywyd presennol.

Mae dwy adnod agoriadol yr ysgrythur Fwdhaidd enwog, y Dhammapada, yn awgrymu cred debyg. Maen nhw'n sôn am ddolen gyswllt achosol (karmig) rhwng bwriadau pur ac amhur, gyda llawenydd yn sicr o ddilyn y naill, a dioddefiant y llall.

Y Dhammapada

1 Mae beth ydyn ni heddiw yn dod o'n meddyliau ddoe, ac mae'n meddyliau presennol yn adeiladu ein bywyd yfory: ein meddwl sy'n creu'n bywyd.
Os bydd dyn yn siarad neu'n gweithredu â meddwl amhur, bydd dioddefaint yn ei ddilyn fel mae olwyn y cart yn dilyn yr anifail sy'n tynnu'r cart.

2 Mae beth ydyn ni heddiw yn dod o'n meddyliau ddoe, ac mae'n meddyliau presennol yn adeiladu ein bywyd yfory: ein meddwl sy'n creu'n bywyd.
Os bydd dyn yn siarad neu weithredu â meddwl pur, bydd llawenydd yn ei ddilyn fel ei gysgod ei hun.

Y Dhammapada, cyf. Juan Mascaro, Harmondsworth, Penguin, 1973, tud. 35

Pwnc seminar

Beth mae'r darn yma o'r Dhammapada yn dweud wrthym am bwysigrwydd bwriadau pobl?

Y peth allweddol am y ffordd mae Bwdhyddion yn deall realiti yw'r gred nad oes hunan (anatta/anatman) parhaol neu sefydlog (gweler tud 29). Felly, er bod Bwdhyddion yn credu mewn cysylltiad rhwng achos ac effaith (karma), fel mae'r Dhammapada yn dangos yn glir, dydyn nhw ddim yn credu fod parhad llwyr rhwng un bywyd a'r nesaf. Dyna pam mae Bwdhyddion yn tueddu i beidio â defnyddio'r term ailymgnawdoliad. Yn llythrennol, mae ailymgnawdoliad yn golygu 'troi'n gnawd unwaith eto' ac mae'n awgrymu fod enaid yn mynd i gael sawl bodolaeth gorfforol, un ar ôl y llall. Mewn geiriau eraill, mae'r un unigolyn yn cael ei eni, yn byw, yn marw, ac yn cael ei eni eto i mewn i gorff arall.

A siarad yn fras, cred Hindŵaidd yw ailymgnawdoliad. Byddai Bwdhyddion, ar y llaw arall, yn defnyddio'r term aileni. Dydy Bwdhyddion ddim yn fytholwyr (fel y mae Hindwiaid), ond dydyn nhw ddim yn nihilyddion chwaith (fel dyneiddwyr seciwlar). Dydyn nhw ddim yn credu bod enaid parhaol yn bodoli am byth (gan fod yr holl skandhau mewn fflwcs),

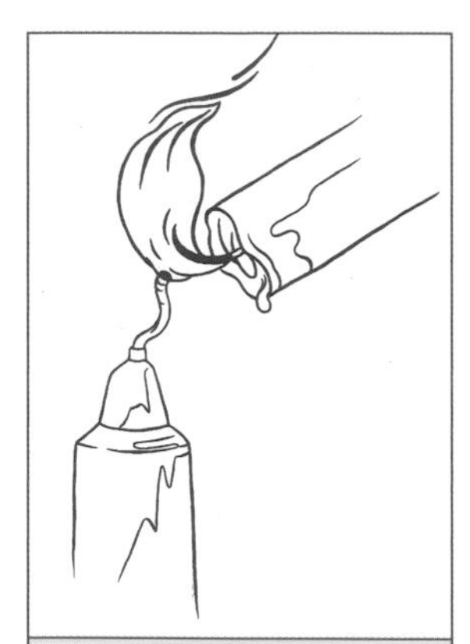

Dydy'r ddwy fflam ddim yr un fath, ond mae'r fflam gyntaf yn achosi'r ail fflam.

ond dydyn nhw ddim yn credu chwaith mai marwolaeth y corff yw diwedd pob peth. Wedi'r cwbl, dim ond un o'r skandhau yw 'ffurf' neu'r corff. Mae Bwdhyddion yn credu fod un bywyd yn cael ei achosi gan un arall yn union fel mae fflam o un gannwyll yn achosi ail fflam, neu fel mae symudiad un belen snwcer yn achosi i belen arall symud.

Dydy'r ddwy fflam ddim yr un fath, ond mae'r fflam gyntaf yn achosi'r ail fflam. Felly mae'r person mewn un bywyd yn barhad o'r person yn y bywyd nesaf, ac eto'n wahanol iddo. Mae parhad a gwahaniaeth yn bodoli o fewn un bywyd hefyd (ydych chi'n cofio'r stribed ffilm?) Mewn ffordd, rydym yn marw gyda phob moment sy'n mynd heibio a chael ein haileni yn y foment yma. Mewn geiriau eraill, nid yr un person ydw i nawr â moment yn ôl. Mae aileni yn broses barhaus sy'n un o nodweddion bywyd pob peth. Dim ond un newid yw bod y corff yn marw, un o blith yr holl newidiadau sydd wedi digwydd, o un foment i'r nesaf, ar draws sawl bywyd. Dydy cael eich aileni â chorff newydd ddim yn fwy nac yn llai pwysig na chael eich aileni i'r foment nesaf.

Pwnc seminar

Ym mha ffordd ydych chi'n dal i fod yr un person nawr â'r person oeddech chi yn dair blwydd oed? Heb law am fod yn hŷn, sut ydych chi'n wahanol nawr? Ym mha ffyrdd fyddwch chi'n dal i fod yr un person ag ydych chi nawr pan fyddwch chi'n 25 oed a phan fyddwch chi'n 60 oed?

Sut mae Bwdhydd yn egluro'r berthynas rhwng un bywyd a'r nesaf?

Pam mae rhai pobl yn ofni mynd yn hen? Sut fyddwch chi'n ymdopi â bod yn hen? Pam fod Bwdhyddion yn ceisio peidio â phoeni ynglŷn â mynd yn hen?

Mae'r syniad o aileni yn cynnwys y syniad o newid cyson a'r syniad o gysylltiad drwy achos ac effaith. Er nad yr un person ydw i nawr â moment yn ôl, cafodd y person ydw i nawr ei 'achosi' gan y person oeddwn i foment yn ôl. Enw Bwdhaeth ar yr 'achosi' yma ydy karma.

Mae'r syniad fod un peth yn achosi un arall yn rhan hanfodol o Fwdhaeth, a dyna neges dysgeidiaeth pratitya samutpada (P. paticca samuppada). Mae sawl ffordd o gyfieithu'r term yma - 'tarddiad rhyngddibynnol', 'cydgynhyrchiad wedi'i gyflyru', neu 'cyfodi dibynnol'. Yn syml iawn, pratitya samutpada ydy'r ffordd mae pethau'n bodoli, hynny yw, yn perthyn neu'n gysylltiedig â'i gilydd. Unwaith eto, mae'r fformiwla 'pan fydd hwn yn codi bydd y llall yn codi, pan fydd hwn yn darfod, bydd y llall yn darfod' yn cael ei defnyddio i ddisgrifio hyn.

Mae'r syniad yma'n cael ei fynegi mewn ffordd arall yn y 'Bhavacakra' neu'r 'Olwyn Fywyd' Dibetaidd – enw arall arni yw 'Olwyn Samsara'.

Mae'r Olwyn yn cael ei dal gan Yama, duw marwolaeth. Mae naill ai'n bwyta neu'n chwydu'r olwyn, sy'n dangos fod popeth, yn y pen draw, yn mynd i farw. Yn nhraddodiad Japan, mae duw marwolaeth yn dal drych o flaen y rhai sy'n cyrraedd ei deyrnas, sy'n dangos hanes eu bywyd iddyn nhw a hefyd effaith pethau wnaethon nhw ar bobl eraill. Byddai hynny'n uffern wirioneddol i rai!

Tasg

Tasg sgrifennu	Sgrifennwch stori fer neu sgript ffilm am yr effaith pe bai Yama yn dangos bywyd rhywun iddo/iddi.

Yn y darlun clasurol yma, mae'r drych yn adlewyrchu holl fodolaeth.

Y Deuddeg Cysylltiad

Mae'r cylch allanol yn dangos y deuddeg cysylltiad. Mae'r rhain yn ffordd o fynegi'r gwirionedd fod anwybodaeth am ganlyniadau pethau yn sicr o arwain at ddioddefaint. Mae symbolaeth y deuddeg cysylltiad yn hen iawn ac yn anodd ei ddeall, a ddylech chi ddim cymryd y lluniau yn llythrennol. Er enghraifft, does gan y lluniau o fenywod beichiog a'r menywod yn geni plant ddim llawer o gysylltiad â genedigaeth go iawn. Symbolau ydyn nhw ar gyfer 'dod i fod' neu 'godi' – y syniad fod un peth yn arwain at un arall – felly mae trachwant yn arwain at ddod i fodolaeth sy'n arwain at weithrediad karma, a felly at ddioddefaint a dirywiad.

Y lluniau yw:

1. *dyn dall* (anwybodaeth), 2. *crochennydd yn gwneud llestr* (ffurfio), 3. *mwnci'n casglu ffrwythau* (ymwybyddiaeth), 4. *cwch ar daith* (corff a meddwl), 5. *tŷ â chwe ffenestr* (y chwe synnwyr – mae Bwdhyddion yn cynnwys y meddwl fel synnwyr), 6. *pâr yn cofleidio* (cyswllt y synhwyrau), 7. *dyn â saeth yn ei lygad* (teimlad), 8. *dyn yn yfed* (syched), 9. *dyn yn casglu ffrwythau* (trachwant), 10. *menyw feichiog* (dod i fod), 11. *menyw'n geni plentyn* (aileni, h.y. ffrwyth karma), 12. *dyn yn cario corff marw i'w amlosgi* (henaint a marwolaeth).

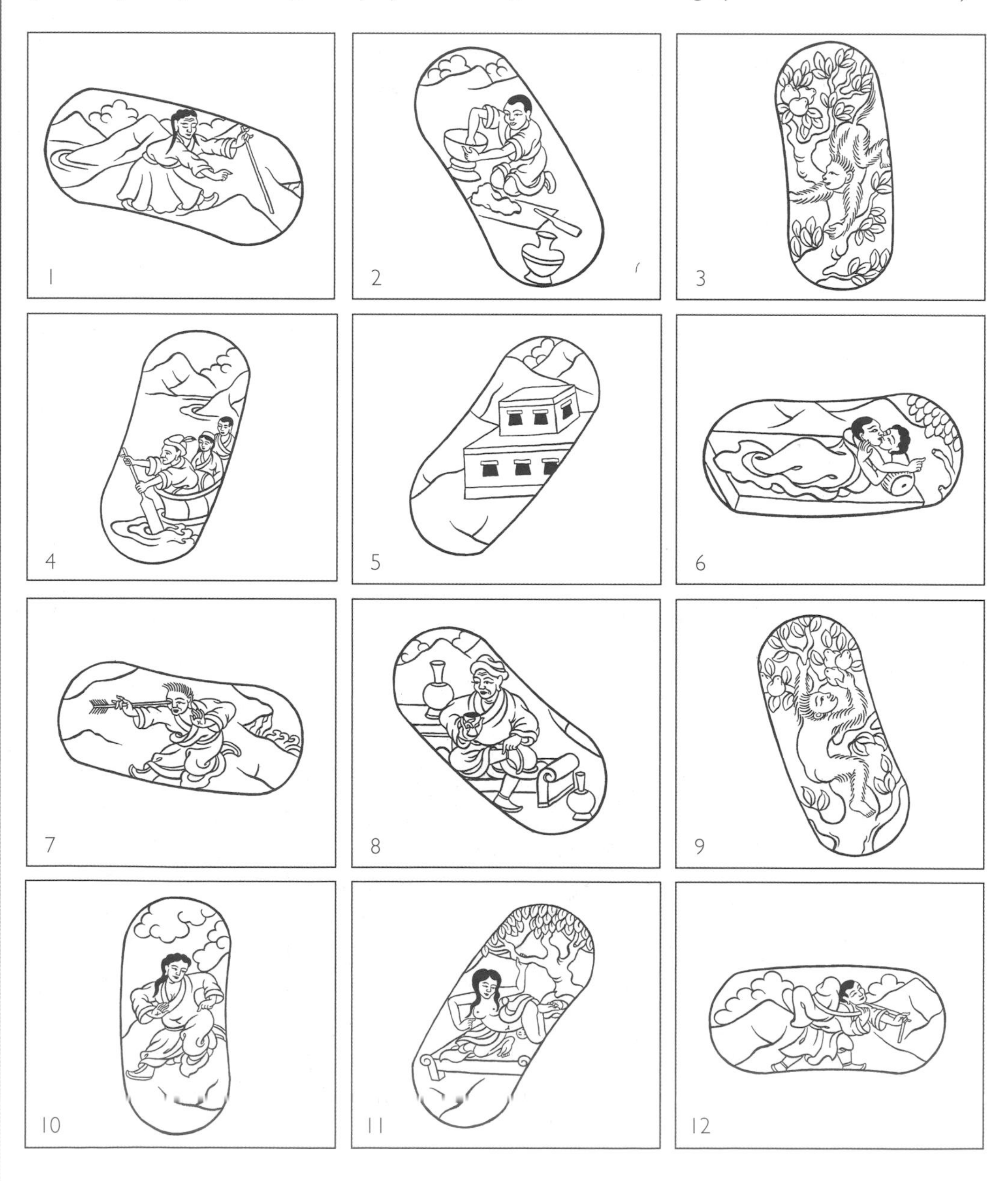

Y Chwe Teyrnas

Mae'r cylch nesaf yn dangos chwe teyrnas aileni, sef (ar y brig) teyrnas y duwiau ac yna (i gyfeiriad y cloc) teyrnas y duwiau cenfigennus, teyrnas yr anifeiliaid, teyrnas yr uffernau, teyrnas yr ysbrydion newynog ac, yn olaf, y deyrnas ddynol. Dydy Bwdhyddion ddim yn credu mai'n teyrnas ddynol ni yw'r unig deyrnas neu'r unig ddimensiwn; maen nhw'n credu fod y bydysawd yn cynnwys llawer math arall o fodolaeth. Er enghraifft, mae'r Bwdha yn cwrdd â llawer o fodau o deyrnas y duwiau yn ystod ei gyfnod fel athro. Dydy duwiau ddim yn cael eu gweld fel bodau perffaith mewn Bwdhaeth. Mae'r duwiau hefyd yn gallu dioddef dukkha, ond i raddau llai na bodau dynol. A dweud y gwir, mae'n well cael eich geni'n fod dynol nag yn dduw, oherwydd mae digon o ddioddefaint mewn bodolaeth ddynol i'n sbarduno ni i geisio goleuedigaeth.

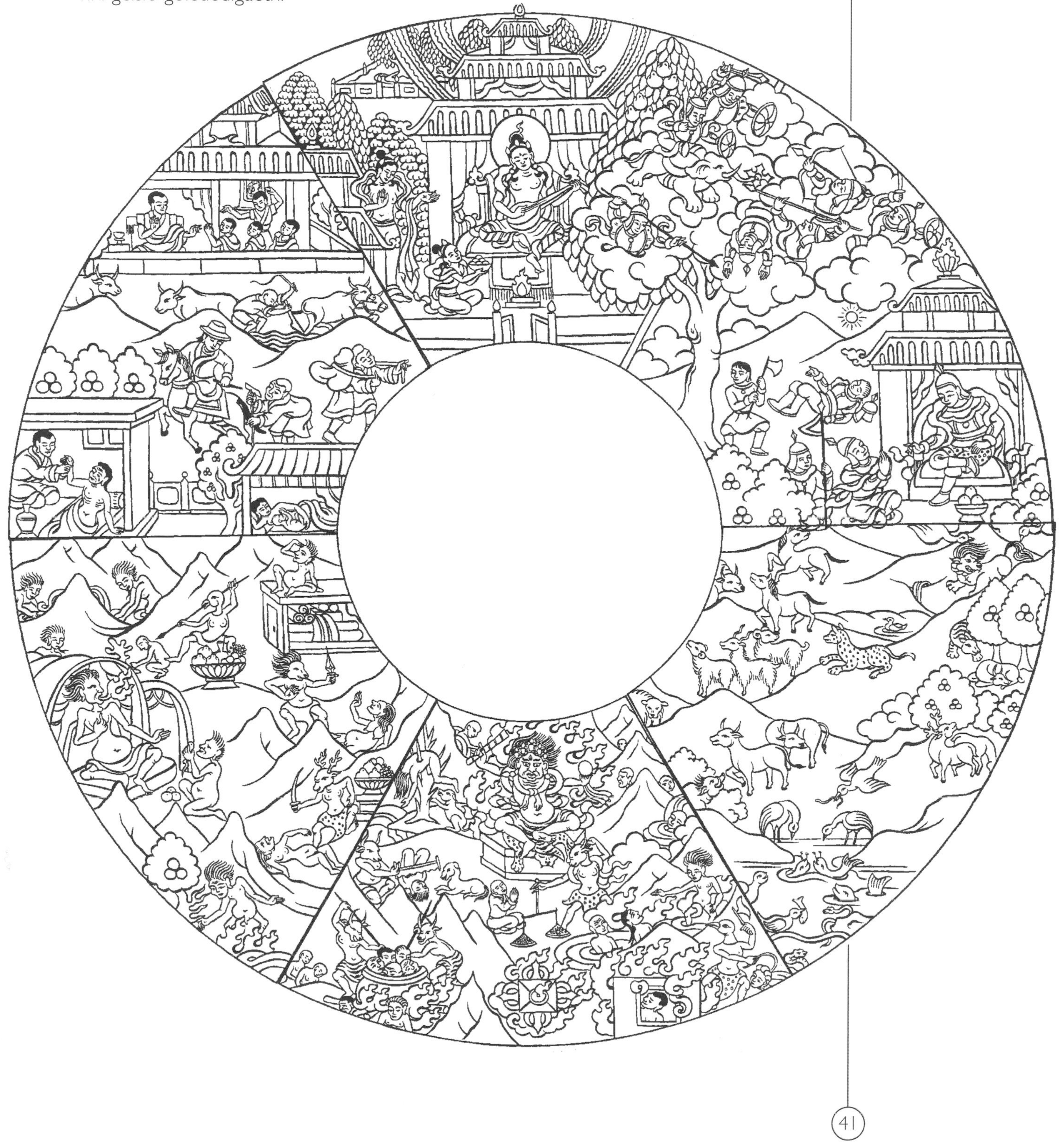

Mae rhai'n gweld y teyrnasoedd fel gwahanol fathau o fodolaeth corfforol, y gallai'r corff gael ei aileni ynddyn nhw. Ar yr un pryd, maen nhw'n cael eu gweld fel ffyrdd o fod neu ffyrdd o feddwl y gall bodau gael eu haileni ynddyn nhw (h.y. o fewn yr un bywyd). Er enghraifft, gallech ddisgrifio bywyd y Bwdha cyn iddo ymwadu fel bywyd yn nheyrnas y duwiau. Roedd yn byw heb wybod dim am ddirywiad na dioddefaint, heb sôn am gael profiad ohonyn nhw. Byddai rhai Bwdhyddion yn dweud fod ein bywydau cysurus ni yn y gorllewin yn debyg iawn i fywydau'r duwiau. Wedi'r cwbl rydyn ni, ar y cyfan, yn dda iawn am droi cefn ar ddioddefaint y rhan fwyaf o bobl y byd er mwyn canolbwyntio ar ein hapusrwydd ein hunain, ac rydym yn eitha da am osgoi realiti salwch, henaint a marwolaeth. Ar y llaw arall, gallai Bwdhydd ddweud fod y teyrnasoedd yn adlewyrchu ein bywydau ein hunain. Er enghraifft, pan fyddwn yn fwyaf hapus, gallech ddweud ein bod yn nheyrnas y duwiau, neu pan fyddwn yn dilyn ein greddf yn unig, gallech ddweud ein bod yn nheyrnas yr anifeiliaid. Os byddwn mewn poen ac ofn, gallech ddweud ein bod yn nheyrnas uffern.

Pwnc seminar

Pa dystiolaeth sy'n cefnogi'r ddadl fod ein cymdeithas ni yn osgoi wynebu realiti salwch, henaint, a marwolaeth?

Does dim un o'r teyrnasoedd hyn yn barhaol. Er enghraifft, does neb yn cael ei gondemnio i uffern am byth, a does neb yn aros am byth yn nheyrnas y duwiau (fel y byddai pobl yn gobeithio gwneud mewn rhai crefyddau eraill). Yr unig gyflwr parhaol mewn Bwdhaeth yw nirvana. Mae popeth arall yn sicr o newid (anicca/anitya).

Pwnc seminar

Ydych chi'n credu fod rhai pobl yn haeddu aros yn nheyrnas yr uffernau am byth? Pam/Pam ddim?

Mae teyrnas yr ysbrydion newynog yn lle arbennig o gas. Mae'r llun yn dangos creaduriaid â boliau anferth ond â gyddfau tenau a chegau bach. Mae'n amlwg fod ganddyn nhw archwaeth anferth, ond dydyn nhw byth yn gallu cael digon! Mae'r syniad o 'archwaeth' yn agos iawn at y syniad Bwdhaidd o tanha neu chwant, ac mae'r syniad o fod â chwant anferth drwy'r amser yn cyfleu cyflwr bodau dynol ar adegau. Mewn rhai gwledydd Bwdhaidd, maen nhw'n meddwl fod yr ysbrydion newynog mewn poen mawr, ac yn gadael bwyd allan iddyn nhw o ran caredigrwydd.

Myfyrdod

Meddyliwch am y chwe teyrnas fel chwe cyflwr meddwl. Pa gyflwr meddwl ydych chi ynddo y rhan fwyaf o'r amser?

Yn y cylch nesaf i mewn ar yr Olwyn, gallwn weld cyrff yn codi ar y chwith a syrthio ar y dde. Darlun o karma yw hyn, y syniad fod gweithredoedd da yn sicr o achosi effeithiau da, a bod gweithredoedd drwg yn sicr o achosi effeithiau drwg.

Y Tri Tân

Yng nghanol yr olwyn. mae tri anifail. Mae'r ceiliog yn cynrychioli trachwant, mae'r neidr yn cynrychioli casineb, a'r mochyn yn cynrychioli anwybodaeth. Dyma'r tair agwedd bydd rhai'n eu galw y tri tân neu tri gwenwyn bywyd, a nhw sy'n cadw olwyn samsara i droi. Maen nhw'n ein gyrru ymlaen i ddioddef mwy a mwy o dukkha. Mae trachwant a chasineb yn ddwy ochr i'r un geiniog – 'dwi eisie' a 'dwi ddim eisie'. Hynny yw, mae'r ddau'n fathau o chwant ac ysu am rywbeth. (Mae ysu am gael dianc rhag rhywbeth neu osgoi gwneud rhywbeth yn llawn cymaint o ysfa â dyheu am gael rhywbeth arall.) Anwybodaeth (S. avidya) yw anwybodaeth fod trachwant a chasineb yn arwain at dukkha. Mewn geiriau eraill, mae'n golygu anwybodaeth o pratitya samutpada, sef y gwirionedd fod popeth mewn samsara yn ganlyniad i achos, a bod pob peth yn gysylltiedig.

Tasgau

Tasg sgrifennu	Eglurwch sut mae Bwdhydd yn deall chwe teyrnas aileni. Aseswch y farn fod Bwdhyddion yn credu mewn bywyd ar ôl marwolaeth.
Tasg ymchwil	Casglwch dystiolaeth o bapurau newydd a'r rhyngrwyd sy'n dangos mai'r tri tân sy'n achosi dioddefaint. Bydd rhaid i chi sgrifennu darn byr am bob eitem i egluro'r cysylltiad. Meddyliwch am ffyrdd o gyflwyno'ch casgliadau (mewn llyfr lloffion – fel siart ar y mur?) Wnaethoch chi weld unrhyw enghreifftiau o ddioddefaint oedd heb ei achosi gan drachwant, casineb neu anwybodaeth? Sut fyddai Bwdhydd yn egluro hynny?

Geirfa

avidya	Anwybodaeth neu gamdybiaeth
Bhavacakra	Olwyn Bywyd
Dhammapada	Darn poblogaidd o'r Ysgrythur Pali
nirvana	'Diffodd/Diddymu'. Y nod uchaf a'r gamp uchaf i Fwdhyddion ei chyflawni. Mae'r term hwn yn aml yn cael ei ddiffinio'n negyddol i osgoi'r broblem o geisio diffinio rhywbeth sy tu hwnt i eiriau. Mae'n aml yn cael ei ddisgrifio fel dileu neu 'ddiffodd' trachwant, casineb, anwybodaeth, ymlyniad (*attachment*) a myfiaeth (neu egotistiaeth). Mae'n cael ei ystyried weithiau fel y gwrthwyneb i samsara a dukkha. Yn aml, mae'n cael ei ystyried yr un fath â goleuedigaeth. Mae gwahanol draddodiadau Bwdhaeth yn ei ddiffinio mewn ffyrdd gwahanol.
tri tân / gwenwyn	Trachwant, casineb ac anwybodaeth – y tri peth sy'n cadw rhai sydd heb gyrraedd y goleuni wedi eu cloi yng nghylch diddiwedd samsara.

Y Llwybr Wythplyg

Set o egwyddorion moesol ac ymarferol o'r enw'r Llwybr Wythplyg Nobl sy'n rheoli bywyd Bwdhydd.

Y pedwerydd o'r pedwar gwirionedd nobl yw'r Llwybr Wythblyg - 'magga' (y ffordd). Mae'n rhestru gwahanol agweddau ar fywyd mae'n rhaid i'r Bwdhydd dalu sylw iddyn nhw er mwyn symud ymlaen, a chyrraedd y 'Ffordd Ganol'. Rhaid gweithio ar bob agwedd ar yr un pryd. Nid wyth cam yw'r wyth agwedd. Yn wir, mae'n well meddwl am y llwybr fel olwyn ag wyth adain. Mae angen pob adain i gadw'r olwyn yn wastad ac yn gyfan.

Mae'r rhan fwyaf o lyfrau'n disgrifio agweddau'r llwybr fel y 'gwir' beth neu'r peth 'cywir'. Dydy hyn ddim yn golygu bod ffordd gywir a ffordd anghywir o wneud pethau, dim ond awgrymu fod modd gweithio ar bob agwedd i'w gwella. Mae Bwdhyddion yn pwysleisio nad casgliad o orchmynion ydy'r llwybr. Roedd y Bwdha bob amser yn dweud wrth ei ddilynwyr nad oedd yn rhoi gorchmynion iddyn nhw, dim ond dangos ffordd allan o ddioddefaint y gallen nhw ei dilyn os oedd yn eu helpu - neu ei hanwybyddu os nad oedd.

Gallwn sôn am y llwybr mewn tair adran:

DOETHINEB (panna)	MOESOLDEB (sila)	MYFYRIO (samadhi)
deall cywir	siarad cywir	ymdrechu cywir
meddwl cywir	gweithredu cywir	meddylgarwch cywir
	bywoliaeth gywir	canolbwyntio cywir

Deall Cywir

Mae hyn yn golygu deall dysgeidiaeth Bwdhaeth am fyrhoedledd a di-hunan. Mae hon yn dasg a allai gymryd sawl bywyd i'w chwblhau. Mae deall y gwirionedd am natur wirioneddol pethau yn wahanol i'n ffordd gyffredin o 'ddeall' pethau.

Meddwl Cywir

Mewn Bwdhaeth, mae karma yn golygu fod meddyliau yn ogystal â gweithredoedd yn achosi canlyniadau. Os ydych, yn eich meddwl, yn casáu neu'n dyheu, bydd hyn yn sicr o effeithio'n negyddol ar eich gweithredoedd, Os gallwch ddileu casineb a dyheu o'ch meddwl, yna fydd dim byd negyddol na dioddefaint yn dilyn.

Siarad Cywir

Os ydy'ch meddwl yn bur, bydd eich geiriau hefyd yn bur. Mae Bwdhyddion yn ceisio meddwl am ganlyniadau pethau maen nhw'n eu dweud. Gan fod pob peth yn gysylltiedig, a phob gweithred â chanlyniadau, gallai gair diofal wneud niwed, i bobl eraill neu i chi. Mae Bwdhyddion yn ceisio peidio â hel clecs, dweud celwydd, dadlau neu ddweud pethau cas am bobl eraill. Mae siarad wedi bod yn bwysig iawn mewn Bwdhaeth erioed. Roedd y Bwdha yn addysgu pobl drwy siarad â nhw, ac un enw ar ei ddysgeidiaeth yw Bwdhavacanca – geiriau'r Bwdha. Cafodd ei ddysgeidiaeth ei chadw drwy ei hadrodd a'i hailadrodd. Mae Bwdhyddion fod i geisio adrodd y dharma pryd bynnag y bo'n addas.

Gweithredu Cywir

Mae hyn yn golygu ceiso byw yn ôl argymhellion Bwdhaeth (gweler tudalen 51). Mae cysylltiad agos iawn rhwng gweithredu cywir a meddwl cywir. Dim ond os ydy'r bwriad yn gywir y bydd gweithred yn gywir. Er enghraifft, mae rhoi bwyd neu roddion i fynachlog yn weithred gywir, ond pe byddai un person yn rhoi swm mawr, ac un arall yn rhoi swm bach, does dim gwahaniaeth rhwng y ddwy rodd gan fod y bwriad yr un fath.

Pwnc seminar

Dychmygwch eich bod yn sefydlu eich cwmni hysbysebu 'bywoliaeth gywir' eich hun. Beth fyddai rhaid i chi ei ystyried? (Peidiwch â meddwl am ddim ond bywoliaeth gywir; rhaid cofio agweddau eraill y llwybr wythplyg a'r argymhellion hefyd.)

Bywoliaeth Gywir

Ddylai neb wneud gwaith sy'n achosi niwed i bobl eraill. Felly, yn ogystal ag osgoi rhai mathau o waith (fel gwneud arfau neu sigarennau), bydd Bwdhyddion hefyd yn ceisio sefydlu busnesau sy'n cael eu rhedeg ar sail egwyddorion moesol. Mae Cyfeillion Urdd Bwdhyddion y Gorllewin yn rhedeg llawer o fusnesau felly, fel siopau crefftau sy'n ceisio sicrhau fod gweithwyr yn y Trydydd Byd yn cael cyflog teg am eu gwaith, caffis sy'n gwerthu dim ond bwyd figan, wedi ei gynhyrchu'n organig, cwmnïau sy'n rhoi cyngor moesegol ar y gyfraith, buddsoddi, ac ati.

Ymdrechu Cywir

Rhaid ymdrechu'n galed iawn i gyrraedd y goleuni. Mae'n anodd iawn cael gwared o drachwant, casineb ac anwybodaeth. Mae pobl sy'n beirniadu'r grefydd yn aml yn gofyn i Fwdhyddion a ydyn nhw'n 'ymlynu' wrth y nod o nirvana, gan mai dyna yw canolbwynt eu holl ymdrechion.

Bydd y Bwdhydd yn dweud nad ydy dyheu yn ddrwg ond pan fo'n ddyhead hunanol. Mae pobl oleuedig yn gwybod nad yw'r hunan yn bod, ac mai dim ond y goleuedig all ddysgu i eraill beth yw'r ffordd allan o ddioddefaint. Felly mae dyheu am oleuedigaeth yn beth da, oherwydd ei fod o fudd i bobl eraill. Does dim byd o'i le ar fod ag ymrwymiadau neu nodau sy'n gwneud lles. Dydy dyheu yn dosturiol am heddwch yn y byd, er enghraifft, ddim yn ddyhead negyddol, ac mae llawer o Fwdhyddion yn gweithio'n galed i sicrhau hynny. Ond os mai bwriad gwaith o'r fath yw ymddangos yn berson da yng ngolwg pobl eraill, yna byddai gweithio dros heddwch byd-eang yn cael ei weld fel ymlyniad negyddol.

Meddylgarwch Cywir

Mae Bwdhyddion yn ceisio byw eu bywydau yn feddylgar drwy'r amser. Mae hyn yn golygu sylweddoli fod canlyniadau i feddyliau, geiriau a gweithredoedd, a gwneud yn siwr eich bod yn meddwl, gweithredu a siarad yn iawn. Mae'n golygu gwybod beth ydy'ch cymhelliant a'ch bwriadau mewnol, a gwneud yn siwr bod y rheini'n rhydd o drachwant, casineb ac anwybodaeth.

Canolbwyntio Cywir

Mae hyn yn golygu myfyrio yn y ffordd iawn er mwyn gweld beth yw gwir natur pethau, er enghraifft, yr hunan fel casgliad o skandhau sydd bob amser mewn fflwcs, sut mae dyheadau a chamdybiaethau'n codi ac yn darfod, a'r modd mae pob peth byw a phob agwedd ar y bydysawd yn gysylltiedig â'i gilydd.

Tasgau

Pwnc ymchwil	Cymharwch y Llwybr Wythplyg â rheolau o grefyddau eraill. Sut maen nhw'n debyg a sut maen nhw'n wahanol?
Tasg	Dewiswch un o dair adran y Llwybr Wythplyg a gwneud llun ohono y gallwch ei ddefnyddio wrth fyfyrio. Gallwch ddefnyddio gwaith celf, lluniau, ffotograffau a lluniau cyfrifiadur.

Mae Bwdhaeth Theravada yn rhoi llawer iawn o sylw i'r llwybr wythplyg. Mewn ffurfiau eraill o Fwdhaeth maen nhw'n defnyddio dysgeidiaethau eraill i helpu'r person i gyrraedd y goleuni.

Y Paramitau

Mae llawer o Fwdhyddion Mahayana yn ceisio dilyn yr argymhellion lleyg (gweler tud 51), ond maen nhw hefyd yn ceisio meithrin y chwe pherffeithrwydd neu paramita. Ansoddau positif yw'r rhain sy'n helpu'r Bwdhydd ar y llwybr tuag at oleuedigaeth, sef Rhoi (dana), Moesoldeb (sila), Egni (virya), Amynedd (kshanti), Myfyrdod (samadhi), Doethineb (prajna)

Pwnc seminar

Ydych chi'n gallu gweld unrhyw wahaniaethau sylfaenol rhwng y paramitau a'r Llwybr Wythplyg?

Llwybr y Bodhisattva

Bydd Bwdhyddion Mahayana yn ymrwymo i ddilyn llwybr y Bodhisattva, llwybr deg cam sy'n cymryd sawl bywyd i'w cwblhau. Nod y bodhisattva yw ennill goleuedigaeth er mwyn eraill, a bydd person yn tyngu llw i wneud hynny ar ddechrau llwybr y bodhisattva. Yn y math yma o Fwdhaeth, dydy hi ddim yn rhesymol meddwl fod unigolyn yn mynd i ennill goleuedigaeth ar ei ben ei hun ac er ei fwyn ei hun. Mewn Bwdhaeth Mahayana, mae pob bod yn symud tuag at oleuedigaeth gyda help y bodhisattvau. Gallwch weld y syniad yma mewn lluniau a cherfluniau o'r bodhisattvau.

Yn y llun yma, mae'r Bodhisattva Amitabha yn edrych dros ei ysgwydd mewn tosturi ar eraill sy'n ymdrechu i gael rhyddhad o'u dioddefaint.

Tasgau

Tasgau sgrifennu	Eglurwch ddysgeidiaeth ymarferol Bwdhaeth ar sut i gael gwared o chwant ac ymlyniad. 'Mae byw bywyd crefyddol yn dibynnu ar beth rydych chi'n ei gredu yn hytrach na dilyn rheolau.' Gwerthuswch y farn yma. Gwerthuswch y farn fod y llwybr wythplyg yn cynnig fframwaith moesegol clir ar gyfer byw.
Tasg ymchwil	Chwiliwch am ymateb Bwdhyddion i gwestiynau dadleuol fel ewthanasia, erthylu, arbrofion genynnol, lladd anifeiliaid mewn arbrofion meddygol, a rhyfel. I ba raddau mae eu hymateb yn dibynnu ar yr argymhellion a'r llwybr wythplyg?

Geirfa

Bwdhavacana	Geiriau'r Bwdha.
dana	Rhoi. Un o'r chwe paramita
Cyfeillion Urdd Bwdhyddion y Gorllewin	Mudiad gafodd ei sefydlu ym 1967 gan Fwdhydd o Sais o'r enw Sangharakshita.
kshanti	Amynedd. Un o'r chwe paramita
panna/prajna	Doethineb. Un o'r chwe paramita
paramitau	Rhinweddau positif y bydd Bwdhyddion Mahayana yn ceisio eu datblygu.
samadhi	Myfyrio. Un o'r chwe paramita
sila	Moesoldeb. Un o'r chwe paramita
virya	Egni. Un o'r chwe paramita

Y Sangha

Nod

Wedi astudio'r bennod yma, dylech fod yn gallu dangos eich bod yn gyfarwydd â ffordd o fyw aelodau o'r Sangha, yr argymhellion, a'r seremonïau derbyn. Dylech fod yn gallu disgrifio rhan y Sangha mewn Bwdhaeth, a dweud pa mor bwysig ydyw. Dylech hefyd ddeall problemau bod yn aelod o'r Sangha yng Nghymru.

Mae gan y gair Sangha ystyr manwl ac ystyr mwy eang. Yn fanwl, mae'n cyfeirio at urdd y mynachod Bwdhaidd, ond yn ei ystyr eang, mae'n cyfeirio at holl gymuned y Bwdhyddion. Y Sangha yw un o'r Tair Gem mewn Bwdhaeth.

Y Tair Gem

Y Tair Gem (S. Triratna) yw tri piler y grefydd Fwdhaidd. Mae pob un o'r tri mor bwysig â'i gilydd ac yn gwbl ddibynnol ar ei gilydd. Rydych eisoes wedi gweld y cysylltiad agos rhwng 'Bwdha' a 'Dharma' yn y dywediad 'Mae'r hwn sy'n gweld y dharma yn fy ngweld i, mae'r hwn sy'n fy ngweld i yn gweld y dharma.' Rydych hefyd wedi gweld fod y dharma yn wir pe bai'r Bwdha wedi bodoli ai peidio, ond fod ymddangosiad y Bwdha wedi dod â'r dharma o fewn cyrraedd pobl eraill – felly mae'n bwysig iawn. Mae'r Sangha, neu'r gymuned o bobl sy'n dilyn dysgeidiaeth y Bwdha yr un mor bwysig.

Pan fu'r Bwdha farw, gadawodd ei ddysgeidiaeth yn nwylo'r Sangha. Doedd dim llyfr o ysgrythurau nag olynydd. Un o'r pethau olaf ddwedodd y Bwdha wrth y Sangha oedd 'byddwch yn lamp i chi eich hunain'. Felly roedd y Sangha i fod i ofalu am y ddysgeidiaeth, ond roedden nhw hefyd i fod i'w dehongli yn eu ffyrdd eu hunain. Y Sangha heddiw sy'n cadw dysgeidiaeth ac arfer Bwdhaeth yn fyw.

Mynd am Noddfa

Pan oedd y Bwdha yn fyw, roedd ei ddilynwyr yn ei weld ef a'i ddysgeidiaeth fel 'noddfa'. Mae sawl ystyr i'r gair 'noddfa', sef y syniad o rywbeth y gallwch ymddiried ynddo, rhywle lle gallwch fod yn ddiogel, rhywle lle gallwch dyfu a datblygu, a rhywle lle gallwch gael cefnogaeth. Roedd Bwdhyddion yn meddwl fod y byd yn llawn peryglon anwybodaeth, ymlyniad a dioddefaint, ac roedd Bwdhaeth yn noddfa rhag hyn i gyd. Wrth i Fwdhaeth dyfu, aeth y gymuned o ddilynwyr yn noddfa hefyd. Mae nifer o draddodiadau Bwdhaeth yn gweld y tair gem fel noddfa, a byddant yn llafarganu hyn mewn Pali:

Buddham saranam gacchami	(Af at y Bwdha am noddfa)
Dhammam saranam gacchami	(Af at y Dharma am noddfa)
Sangham saranam gacchami	(Af at y Sangha am noddfa)

'Mynd am noddfa' yw enw'r llafarganu yma, ac mae'n rhan bwysig o ddefod y Bwdhydd. Mae'r geiriau yma'n cael eu llafarganu dair gwaith, er mwyn gwneud pob un o'r tair noddfa yn glir yn y meddwl. Wrth lafarganu'r fformiwla yma, bydd y Bwdhydd yn cyfeirio'i meddwl oddi wrth bethau'r byd, fel arian, uchelgais a chariad, tuag at y tair gem.

Soniodd Sile, Bwdhydd o Gaerdydd, am bwysigrwydd mynd am noddfa yn ei bywyd. Yn ddiweddar, roedd rhaid iddi hi a'i merch Jacqui fynd â'r ci, Connor, at y milfeddyg i'w roi i gysgu. Er eu bod yn gwybod mai dyna'r peth caredig i'w wneud, roedden nhw'n teimlo colli'r hen gi annwyl i'r byw. Roedd merch Sile, er nad yw hi'n Fwdhydd ei hun, yn deall y gred Fwdhaidd nad y bywyd hwn yw'r unig fywyd, hyd yn oed i anifeiliaid, a dyma benderfynu mai'r peth iawn i'w wneud fyddai cael munud dawel cyn i'r milfeddyg roi'r chwistrelliad, er mwyn myfyrio ar hyn.
Aeth Sile am noddfa (gan adrodd y geiriau Pali dair gwaith). Eglurodd eu bod yn dal yn drist, wrth gwrs, ond bod mynd am noddfa wedi eu helpu i ymdopi â'r newid. Roedd wedi eu helpu i ganolbwyntio llai ar eu galar nhw, a chanolbwyntio mwy ar Connor a'r ffaith ei fod yn symud i fodolaeth newydd.
'Mae Bwdhaeth yn dysgu i ni', meddai. 'fod rhaid ffarwelio â'r rhai rydym yn eu caru a bod galar a dioddefaint yn rhan o fywyd. Ond mae'n dysgu hefyd fod ffordd allan o ddioddefaint yn y pen draw, gyda help y Bwdha, y Dharma a'r Sangha, ac mae hynny'n gysur mawr ar adegau anodd.'

Yn ystod oes y Bwdha, roedd y dilynwyr a oedd wedi cael noddfa ynddo ef a'r ddysgeidiaeth yn cael eu galw'n Bhikkhuon (P) (Bhikshuon(S)) sy'n golygu 'y rhai sy'n rhannu'. Roedd Bhikkhu'n byw bywyd ar grwydr, yn myfyrio, yn addysgu pobl am y dharma, yn byw allan yn yr awyr agored ac yn bwyta dim ond beth roedd pobl yn ei roi iddo. Danfonodd y Bwdha nhw allan â'r geiriau

'Ewch, fynachod, a theithiwch er mwyn lles a hapusrwydd y bobl, o dosturi am y byd. Dysgwch y Dharma.' (Vinaya 1:21)

Doedd Bhikkhu ddim yn ceisio dioddef caledi eithafol fel wnaeth y Bwdha yn ystod y chwe blynedd wedi iddo ymwadu, gan i'r Bwdha ddweud nad oedd hynny'n gyson â'r ffordd ganol, ac nad oedd yn help i gyrraedd y goleuni. Ond roedden nhw'n rhoi'r gorau i'r byd a'i bethau, gan fod hynny'n helpu eu nod o gael gwared o ymlyniad. Roedd y Sangha yn gwneud pawb yn gyfartal.

Yn ystod y tymor glawiog, byddai'r Bhikkhuon yn dod at ei gilydd a chael hoe o'u crwydro, ac aros mewn vihara neu fynachlog. Roedden nhw'n gwneud hynny pan oedd y Bwdha'n fyw yn ogystal â wedi hynny. Yn y byd modern, mae'r rhan fwyaf o fynachod yn byw mewn vihara a does dim llawer ohonyn nhw'n grwydriaid digartref.

Wedi marwolaeth y Bwdha, byddai'r Bhikkhuon yn adrodd ei ddysgeidiaeth ac yn dweud a oedden nhw wedi llwyddo i ufuddhau i'r argymhellion. Drwy adrodd fel hyn, cadwodd y Bhikkhuon ddysgeidiaeth y Bwdha yn fyw, gyda pawb yn cytuno ar eu ffurf. Wrth gwrs, wrth i amser fynd heibio, dechreuodd pobl anghytuno ynglŷn â natur rhai rhannau o'r ddysgeidiaeth, oherwydd bod y Sangha yn gymuned ddemocrataidd yn hytrach nag am fod y traddodiad llafar (adrodd) wedi methu diogelu'r ddysgeidiaeth.

Byddai Sangha'r Bhikkhu yn gwbl ddibynnol ar haelioni a chefnogaeth dilynwyr lleyg (rhai nad oedd yn fynachod) y Bwdha. Roedd llawer o'r dilynwyr lleyg yn hael iawn yn ystod oes y Bwdha. Er enghraifft, prynodd masnachwr cyfoethog goedlan gan Dywysog o'r enw Jeta gan dalu digon o ddarnau aur i orchuddio'r darn o dir, a chafodd yr aur ei roi i'r

Sangha. Hyd yn oed heddiw mae'r Bhikkhu yn dibynnu at dana ('rhoi') gan bobl gyffredin i dalu am gynnal y vihara ac am fwyd. Dim ond bwyd mae rhywun wedi ei roi iddo y caiff Bhikkhu ei fwyta. Mae'r weithred o roi yn dod â lles i'r rhoddwr yn ogystal â'r un sy'n derbyn y rhodd. Drwy roi, mae person cyffredin yn ennill 'teilyngdod' neu puñña/punya . Mae hyn fel karma positif.

Mae'r rhai sydd wedi ymrwymo i ddilyn llwybr goleuedigaeth, ac wedi aberthu llawer yn yr ymdrech i gyrraedd y goleuni, yn cael eu parchu'n fawr. Mae'r holl gymuned yn elwa ar eu hymdrech oherwydd fe fyddan nhw'n gallu addysgu eraill am y ffordd allan o ddioddefaint, felly mae pobl leyg yn ddigon balch o allu eu helpu ar eu taith.

Pwnc seminar

Pam mae Bwdhaeth yn ystyried fod addysgu yn weithred dosturiol?

Yr Argymhellion

Mae aelodau (lleygwyr a mynachod) y Sangha yn derbyn y pum argymhelliad fel rheol i'w bywydau. Dydy'r rhain ddim yn rheolau caeth, dim ond canllawiau y dylai Bwdhyddion geisio eu dilyn.

Byddaf yn peidio â gwneud niwed

Ystyr eang iawn – nid dim ond peidio â lladd neu niweidio'n gorfforol, ond peidio â niweidio'n feddyliol ac yn emosiynol chwaith.

Byddaf yn peidio â chymryd unrhyw beth na chafodd ei roi

Nid dim ond peidio â lladrata, ond bod ag agwedd hael tuag at eraill (er enghraifft, dymuno llwyddiant iddyn nhw bob amser) a dim gwastraffu eu hamser a'u hegni.

Byddaf yn peidio â chamddefnyddio'r synhwyrau

Nid dim ond peidio â chamdrin rhyw (e.e. drwy gymryd mantais neu niweidio rhywun yn emosiynol), mae hefyd yn golygu peidio â chwilio am bleser drwy'r amser.

Byddaf yn peidio â chamddefnyddio geiriau

Nid dim ond peidio â dweud celwydd, ond peidio â hel clecs neu ddadlau â phobl. I Fwdhyddion, dylai eu siarad fod yn 'fedrus'. Mewn geiriau eraill, dylai bob amser helpu eraill ar y llwybr tuag at oleuedigaeth

Byddaf yn peidio â chymryd unrhyw sylwedd sy'n cymylu'r meddwl

Rhan bwysig o Fwdhaeth yw bod yn feddylgar – ac edrych i fyw llygad dioddefaint a natur anfoddhaol, nid dianc oddi wrthyn nhw fel mae pobl sy'n camddefnyddio alcohol neu'n cymryd cyffuriau yn ceisio gwneud.

Mae Bwdhaeth yn grefydd anferth ac amrywiol, ac mae Bwdhyddion yn dehongli'r argymhellion sylfaenol hyn mewn llawer o ffyrdd gwahanol. Er enghraifft, mewn rhai gwledydd Bwdhaidd, mae yfed alcohol yn gymhedrol yn gwbl dderbyniol. I rai Bwdhyddion, mae'r argymhelliad cyntaf yn golygu peidio â bwyta cig, ond mae eraill yn credu mai dim ond at fodau dynol mae'r argymhelliad yn cyfeirio. I rai Bwdhyddion, mae'r argymhelliad cyntaf yn ei gwneud hi'n amhosib ystyried erthylu neu ewthanasia, ond i Fwdhyddion eraill, gallai tosturi olygu fod erthylu neu ewthanasia yn dderbyniol o dan rai amgylchiadau.

Mynachod Theravada allan yn casglu elusen. Mae'r Sangha'n dibynnu ar y bwyd sy'n cael ei roi gan bobl leyg. Dydy aelodau'r Sangha fynachaidd ddim yn cael coginio na thyfu eu bwyd eu hunain. Mae hyn yn golygu na all Sangha fynachaidd fodoli ond lle bydd pobl leyg eisiau hynny. Mae hyn helpu i gadw'r Sangha'n berthnasol i anghenion y bobl leyg.

Yr Argymhellion Mynachaidd

Yn ogystal â'r Pum Argymhelliad mae lleygwyr a mynachod yn eu dilyn, mae pum argymhelliad arall y bydd mynachod yn unig yn eu dilyn, sef:

Peidio â bwyta wedi hanner dydd

Peidio â dawnsio neu ganu

Peidio â defnyddio persawr neu garlantau

Peidio â chysgu mewn gwelyau cysurus

Peidio â thrafod arian

Tasg

Tasg sgrifennu	Eglurwch ystyr yr argymhellion mynachaidd.

Yn ogystal â'r deg argymhelliad mynachaidd, mae rheolau eraill mae mynachod yn ceisio eu dilyn. Mae 227 o'r rhain, ac maen nhw yn y Vinaya Pitaka (yr ysgrythurau sy'n cynnwys y rheolau ar gyfer ymddygiad mynachod a lleianod). Mae rhai o'r rheolau hyn yn dod o gyfnod y Bwdha, ond mae'r Vinaya Pitaka hefyd yn cynnwys deunydd y cytunodd y Sangha arno ar ôl marwolaeth y Bwdha.

Enw'r 227 rheol yw'r Patimokka, a hyd yn oed heddiw, mae Sangha'r Theravada yn cwrdd yn rheolaidd ar ddyddiau Uposatha, i adrodd y Patimokka.

Mae'r syniad o fywyd mynachaidd yn ganolog i Fwdhaeth Theravada. Mewn gwledydd fel Sri Lanka, Myanmar, a Gwlad Thai ac, yn wir, mewn mynachlogydd Theravada gorllewinol fel Amaravati yn swydd Hertford, bydd bywyd yn cychwyn yn gynnar iawn yn y bore (cyn 3 a.m. weithiau!) gyda myfyrdod a puja (addoli defodol). Yna bydd y mynachod yn mynd allan i dderbyn bwyd gan leygwyr. Byddai rhai'n dweud eu bod nhw'n cardota, ond dydy hynny ddim yn gywir. Dydy'r mynachod ddim yn gofyn i neb roi bwyd iddyn nhw, dim ond derbyn beth sy'n cael ei gynnig. Ar ôl bwyta'r bwyd cyn hanner dydd, maen nhw'n gwneud y gwaith sydd ei angen i gynnal a chadw'r vihara a'r gymuned fynachaidd a lleyg (er enghraifft, mae sawl vihara yn rhedeg ysgol neu glinig neu ysbyty ei hun).

Mynachlog Amaravati, swydd Hertford

Does gan y Bhikkhu Theravada ddim eiddo, ond mae'n cael gwisg hir (lliw melyn saffrwn fel arfer, am mai dyna'r lliw rhataf), llestr i dderbyn bwyd mae pobl yn ei gynnig, rasel, hidlydd dŵr a nodwydd i'w defnyddio i drwsio'r wisg.

Derbyn aelod i'r Sangha

Yn y traddodiad Theravadaidd, mae rhai gwahaniaethau o fewn y Sangha fynachaidd. Mae rhywun sydd wedi ymrwymo'n rhannol yn cael ei ddisgrifio fel person anagarika (digartref). Bydd yr anagarika yn gwisgo gwisg wen ac yn dilyn llawer o'r rheolau Patimokka, ond mae'n cael trafod arian, felly mae'n ddefnyddiol i'r vihara. Bydd llawer o fynachod yn cychwyn ar eu gyrfa fel anagarika, ond os bydd y person am ymrwymo'n llwyr i'r Sangha, rhaid iddo fynd yn nofis.

I fynd yn nofis, rhaid i'r person fod heb bartner a heb ddyledion (h.y. heb ymrwymiad bydol). Yn aml bydd bechgyn ifanc yn ymuno â'r Sangha. Mae treulio hyd yn oed amser byr fel nofis yn creu karma da. Does dim cywilydd mewn ymadael â'r Sangha, felly mae'n beth digon cyffredin i ddynion o gymunedau Theravada dreulio cyfnodau byr mewn mynachlog. Mae pen y nofis yn cael ei eillio, gan ei rieni, yn aml (mae'n cadw mewn cysylltiad â nhw) a bydd yn derbyn gwisg. Yna, bydd yn cymryd y Deg Argymhelliad. Mae 'cymryd' yr argymhellion yn debyg i 'fynd' am noddfa. Mae'n golygu eu hadrodd fel datganiad o'r cyfeiriad y mae'n gobeithio mynd ynddo. Ar ôl dwy flynedd, gall nofis ddewis bod yn Bhikkhu. Bydd ambell Bhikkhu yn mynd yn Thera neu 'Hynafgwr' a bydd ambell Thera yn mynd yn Mahathera ('hynafgwr mawr'). Mae'n draddodiad mewn Bwdhaeth Dibetaidd hefyd fod bechgyn yn manteisio ar y cyfle i dreulio cyfnod (blwyddyn neu ddwy, efallai) yn dilyn y bywyd crefyddol, ac yn cael eu haddysgu gan fynach hŷn, neu lama.

Mewn rhai mathau o Fwdhaeth yn China a Japan, does dim rhaid i berson ymwadu â bywyd teuluol er mwyn cael ei ordeinio'n aelod o'r Sangha. Offeiriad ydy person felly, nid mynach. Gan fod goleuedigaeth ar gael i bob person (gweler tud 20) does dim angen rhoi gormod o bwyslais ar fynachaeth. Gallwch gyrraedd y goleuni heb ymwadu. Efallai ei bod yn haws i offeiriaid helpu lleygwyr gan eu bod yn byw bywyd tebyg iddyn nhw.

Menywod mewn Bwdhaeth

Fel bron pob crefydd arall yn y byd, roedd Bwdhaeth, ar wahanol adegau yn ei hanes, yn gweld mwy o werth mewn dynion na menywod. Doedd y Bwdha ddim am adael menywod i mewn i Sangha fynachaidd ei gyfnod, ond cafodd ei berswadio gan Ananda, un o'r ddisgyblion, i ordeinio'i fam-yng-nghyfraith a phum cant o fenywod eraill yn aelodau o'r urdd Bhikkhuni (fersiwn fenywaidd o urdd y Bhikkhu). Wedi hynny, aeth llawer o fenywod yn lleianod Bhikkhuni, a chafodd un o'r darnau cynharaf o lenyddiaeth gan fenywod, y Therigata (penillion y chwiorydd) ei sgrifennu. Mae'r ysgrythur yma yn sôn am y rhyddid a gafodd menywod drwy ymuno â'r Sangha, cymuned â'i rheolau ei hun lle gallent fod yn rhydd o'r gamdriniaeth roedden nhw'n ei dioddef mewn bywyd lleyg.

Ag ystyried yr agwedd gyffredinol tuag at fenywod ar y pryd (h.y. eu bod yn fodau israddol, yn ddefodol amhur, a ddim yn cael cymryd rhan mewn defodau crefyddol), roedd y Bwdha o flaen ei oes, ac mae'r ffaith ei fod yn amheus i ddechrau yn ddealladwy yn y cyd-destun hanesyddol. Roedd llawer mwy o reolau Patimokka yn rheoli bywyd Bhikkhuni na bywyd Bhikkhu, sy'n adlewyrchu statws menywod ar y pryd. Roedd pobl yn ofni y gallai menywod darfu ar ymrwymiad y dynion i geisio goleuedigaeth, ac roedd rhaid osgoi hynny er mwyn pawb.

Pwnc seminar

Pa mor werthfawr yw'r Sangha fynachaidd i Fwdhyddion lleyg?

Daeth Urdd y Bhikkhuni, a sefydlwyd gan y Bwdha, i ben yn y gwledydd Theravada. Y rheswm am hynny oedd bod angen pum lleian bob amser i ordeinio lleian newydd. Os nad oedd pum lleian mewn gwlad arbennig, roedd y 'llinell ordeinio' yn cael ei thorri. Erbyn rhyw fil o flynyddoedd wedi oes y Bwdha, roedd y rhan fwyaf o linellau ordeinio Theravada wedi cael eu torri. Mae'n bosib mynd yn nofis benywaidd yn awr, ond ddim yn Bhikkhuni Theravada llawn. Mae'n dal yn bosibl mynd yn lleian mewn gwledydd Mahayana. Er enghraifft, yn Taiwan mae llawer mwy o leianod na mynachod, ac mae eu statws yn uchel. Mae Man Yao (gweler y llun ar dud 32) yn lleian mewn swydd uchel iawn, sydd yn cael ei pharchu gan ei chymuned, ac sydd â llawer o gyfrifoldebau.

Mae llawer o leianod Zen ac maen nhw'n cael eu trin yn gyfartal â mynachod Zen. Pam mae hynny'n digwydd?

Y Sangha ehangach ym Mhrydain

Mae'n hawdd dysgu am Sanghau ym Mhrydain oherwydd mae gan lawer ohonyn nhw wefannau ar y rhyngrwyd. Canolfan encilio i fenywod yng ngogledd Cymru yw Taraloka, sy'n perthyn i Gyfeillion Urdd Bwdhyddion y Gorllewin. Gallwch ddysgu amdanyn nhw ar **http://www.taraloka.org.uk**

Ym Mhowys mae canolfan lle mae pobl yn arfer myfyrfod Samatha.
Cysylltwch â **http://www.samatha.demon.co.uk.**
Gallwch gysylltu â Chanolfan Cyfeillion Urdd Bwdhyddion y Gorllewin yng Nghaerdydd ar **http://www.cardiffbuddhistcentre.com**

Neu mi allwch chwilio'r rhan fwyaf o ganolfannau ym Mhrydain, o bob math, drwy BuddhaNet: **http://www.buddhanet.net**

Tasgau

Tasgau sgrifennu	
	Eglurwch pam mae ymwadu â bywyd materiol yn gallu helpu pobl ar y llwybr tuag at oleuedigaeth.
	Aseswch y farn fod bywyd mynachaidd yn ffordd o ddianc rhag realiti'r byd.
	Eglurwch pam mae'r argymhellion mynachaidd a'r patimokka yn bwysig i fynachod a lleianod.
	'Llwybr rhyddid yw llwybr goleuedigaeth; ni ddylai fod angen rheolau.' Gwerthuswch y farn yma.
	Drafftiwch set o reolau ar gyfer Sangha newydd fodern yng Nghymru

Geirfa

anagarika	'Digartref', rhai sydd wedi ymrwymo'n rhannol i'r sangha fynachaidd ac sy'n dilyn rhai o'r rheolau patimokka.
argymhellion	Oblygiadau y bydd Bwdhyddion yn eu derbyn. Mae pum argymhelliad ar gyfer lleygwyr a deg ar gyfer mynachod a lleianod
Bhikkhu	Mynach Theravadaidd
Bhikkuni	Lleian Theravadaidd
Buddham saranam gacchami	'At y Bwdha af am noddfa'
Dhammam saranam gacchami	'At y dharma af am noddfa'
lama	'Un uwch', athro yn y traddodiad Tibetaidd.
Patimokka	Y set o 227 o reolau ar gyfer mynachod a 311 ar gyfer lleianod
Sangham saranam gacchami	'At y gymuned af am noddfa'
Thera	'Hynafgwr' – aelod hŷn o sangha fynachaidd
Therigata	Rhan o'r ysgrythur Pali, yn cynnwys penillion gan leianod.
Triratna	Tair gem Bwdhaeth (Bwdha, Dharma a Sangha)
vihara	Mynachlog (Theravada)
Vinaya	Y rhan o'r ysgrythur Pali sy'n cynnwys y côd disgyblaeth ar gyfer y Sangha.

Myfyrio

Nod

Ar ôl astudio'r bennod yma dylech fod yn deall natur a phwrpas rhai ffyrdd gwahanol o fyfyrio, a dylech allu gwerthuso pa mor berthnasol ydyn nhw i fywyd.

Mae myfyrdod yn un o arferion canolog y rhan fwyaf o fathau o Fwdhaeth, heb law am un math pwysig nad yw'n defnyddio myfyrio i gael goleuedigaeth. Mae Bwdhyddion Tir Pur Japaneaidd yn credu, os byddwch yn myfyrio, eich bod mewn perygl o gryfhau eich ymdeimlad o'r hunan (yn lle gwanhau'r ymdeimlad hwnnw, sef pwrpas myfyrio yn y traddodiadau Bwdhaidd eraill). Efallai y byddwch yn teimlo – 'dwi wedi myfyrio llawer heddiw, felly rhaid fy mod i yn nes at fy nod o oleuedigaeth'. Efallai y byddwch hyd yn oed yn meddwl – 'dwi wedi gwneud llawer mwy o fyfyrio na'm cyd-Fwdhyddion – felly dwi'n llawer gwell na nhw!' (Lle'r aeth anatta??) Fel bodau dynol anoleuedig, mae'n hawdd i ni lithro i feddwl yn y fath fodd afiach.

Mae Bwdhyddion y Tir Pur yn dweud bod rhaid wynebu'r ffaith nad ydyn ni'n gallu cael goleuedigaeth drwy ein hymdrechion ein hunain (ac mae hynny'n beth anodd iawn i'w dderbyn am fod pobl yn falch iawn o'u galluoedd!). Felly mae rhaid dibynnu'n llwyr ar deilyngdod a gras Amitabha (Amida), bodhisattva mawr sydd wedi tyngu i ddod â phob bod i'r goleuni. Iddyn nhw, dibynnu ar bŵer arall yw'r unig ffordd o ddeall anatta yn llwyr.

Ond er bod eu dadleuon yn synhwyrol o safbwynt Bwdhaidd, mae dilynwyr Bwdhaeth y Tir Pur mewn lleiafrif. Mae'r rhan fwyaf o Fwdhyddion yn credu mewn myfyrdod. Wedi'r cwbl, drwy fyfyrio y cafodd y Bwdha oleuedigaeth o dan y goeden Bodhi ryw 2,500 o flynyddoedd yn ôl. Mae'r Bwdha'n cael ei weld fel esiampl i eraill ar y llwybr ac mae'r rhan fwyaf o Fwdhyddion yn credu y dylai ef (yn ogystal â bodau goleuedig eraill) gael ei ddynwared.

Myfyrdod personol

Oes unrhyw synnwyr i farn Bwdhyddion y Tir Pur am fyfyrdod?

Mae'n anodd egluro beth yw myfyrdod i bobl sydd heb gael rhywfaint o brofiad ohono. Mae'n edrych fel peth anniddorol iawn i'w wneud. Yn aml, mae Bwdhyddion yn cael eu cyhuddo o 'astudio'u bogail' neu geisio osgoi pethau annifyr oherwydd eu bod yn treulio cymaint o amser yn myfyrio. Ateb y Bwdhydd yw bod pobl wedi camddeall pwrpas myfyrio.

Nid dim ond ffordd o gael gwared o bwysau meddwl yw myfyrio, er ei fod yn dda am wneud hynny hefyd. Mae pobl yn myfyrio i geisio gweld gwir natur pethau a, thrwy hyfforddi'r meddwl, datblygu'r gallu i fod yn feddylgar. Yn ein bywydau bob-dydd rydym yn cael ein tynnu yma ac acw gan arferion rydym yn rhy wan i'w newid, gan nodau a dyheadau, a gan ein trachwant a'n casineb. (Peidiwch ag anghofio nad ydy Bwdhaeth yn gweld dim o'i le ar nodau a dyheadau heb law am rai hunanol a negyddol. Mae'r awydd am weld pobl eraill yn hapus, er enghraifft, yn ddyhead da, sy'n ganolog i Fwdhaeth.) Mae Merv Fowler yn disgrifio'r meddwl fel 'rhyw gi fferm ar gadwyn yn y buarth, yn tynnu'r ffordd yma a'r ffordd acw, heb symud ymlaen o gwbl.'[8] Dydyn ni ddim yn gwybod yn iawn beth yw'n cymhelliant a'n bwriad heb i ni dreulio amser yn meddwl am hynny.

I Fwdhyddion, dim ond un skandha o blith pump yw'r corff, ac mae pob skandha yr un mor bwysig. (Dydy Bwdhaeth ddim yn grefydd fel Cristnogaeth neu Hindŵaeth sy'n credu bod yr enaid yn bwysicach na'r corff.) Mae myfyrdod yn effeithio ar y corff yn ogystal â'r skandhau eraill.

Pwnc seminar

Ydy myfyrio yn cymryd lle gweddïo mewn Bwdhaeth?

Mae person yn gosod ei hun mewn safle sy'n sicrhau ei fod wedi ymlacio ond yn effro hefyd. Bydd rhai Bwdhyddion yn eistedd yn y safle lotws, fel rhai delwau o'r Bwdha, bydd eraill yn penglinio ar glustogau, neu â'u coesau wedi eu croesi, neu ar gadair â chefn syth.

Mae llawer o wahanol ffyrdd o fyfyrio yn y gwahanol draddodiadau Bwdhaidd. Yn Tibet, er enghraifft, mae gwahanol fathau o fyfyrio ar y bodau goleuedig. Mewn rhai traddodiadau, bydd Bwdhyddion yn myfyrio wrth gerdded. Mae traddodiadau eraill, fel Zen, yn pwysleisio fod bywyd i gyd yn broses o fyfyrio, hyd yn oed gwneud gwaith cyffredin bob-dydd.

Byddwn yn edrych ar dri math o fyfyrio yma: **Samatha**, myfyrdod i sicrhau tawelwch meddwl a **Vipassana**, myfyrdod treiddgar - mae'r ddau'n dod o'r traddodiad Theravadaidd - a **Zazen**, myfyrio yn eich eistedd sy'n dod o Fwdhaeth Zen – ffurf ar Fwdhaeth Mahayana.

Samatha

Mae myfyrdod Samatha yn dechrau gyda'r anadl. Drwy fod yn ymwybodol o'ch anadlu, rydych yn fwy ymwybodol o'r ffaith fod y corff yn broses, â'r holl skandhau mewn fflwcs. Mae canolbwyntio ar anadlu hefyd yn helpu i hyfforddi'r meddwl i anwybyddu unrhyw beth allanol, ac osgoi cael eich llethu gan syniadau sy'n codi, dim ond sylwi arnyn nhw'n codi a diflannu eto.

Myfyrdod

Beth mae Paul yn ei olygu wrth 'feddylgarwch anadlu' a 'bod yn gwbl fyw i'r foment'? A oes cysylltiad rhwng y ddau? Os oes, sut?

Daeth Paul at Fwdhaeth oherwydd diddordeb mewn 'martial arts', yn enwedig Kung Fu: 'Heb gefndir athronyddol Bwdhaeth, dydy Kung Fu yn ddim byd mwy na champ arall. Mae gennyf barch mawr at ddysgeidiaeth y mynach o Fietnam, Thich Nhat Hanh, am feddylgarwch anadlu, cwestiynu pam rydyn ni'n gwneud pethau, a bod yn gwbl fyw i'r foment.'

Myfyrdod

Pa mor realistig ydy'r metta bhavana? A fyddai hi'n gywir disgrifio myfyrfod o'r fath fel ymgais i osgoi realitu neu 'syllu ar eich bogail'? (Cofiwch bod cysylltiad agos mewn Bwdhaeth rhwng bwriad a gweithred.)

Mae Samatha hefyd yn cynnwys y metta bhavana, neu'r myfyrdod ar gariad pan fydd y person sy'n myfyrio yn ymdrechu i deimlo'n gariadus. Mae rhai pobl yn disgrifio'r teimladau cariadus hyn fel brahmavihara neu 'gyflwr dwyfol' (dwyfol, neu debyg i dduw, am fod y cariad yn ddiamod – peth anarferol ymhlith pobl). Mae pedwar ohonyn nhw. Y cyntaf yw metta, caredigrwydd cariadus neu ewyllys da, y dylech geisio ei deimlo tuag at elynion hefyd. Yr ail yw karuna, tosturi tuag at bawb sy'n dioddef, a'r trydydd yw mudita, llawenydd dros eraill. Mae'n anodd dathlu daioni neu lwyddiant pobl eraill weithiau, yn enwedig os nad ydych chi wedi gwneud cystal eich hunan. Ystyr y pedwerydd, uppekkha, yw tawelwch meddwl neu feddwl cytbwys – y syniad yw caru pob peth byw yn gydradd, gan dderbyn agweddau positif a negyddol heb ragfarn – peth anodd iawn i'w wneud!

Vipassana

Mae hwn yn ddull llawer mwy cymhleth o fyfyrio sy'n golygu beth mae Damien Keown yn ei ddisgrifio fel 'cynhyrchu mewnweledlad treiddgar a beirniadol'.[9] Mae pobl sy'n myfyrio yn ceisio sylweddoli gwirioneddau dukkha, anicca ac anatta, drwy sylwi ar eu corff eu hunain, eu teimladau, hwyliau a meddyliau. Bydd hyn yn dangos fod teimladau, hwyliau a meddyliau yn codi, ac yna'n diflannu eto – oherwydd, yn union fel y corff, mae'r meddwl mewn fflwcs parhaol. Mae myfyrio fel hyn yn dysgu i chi beidio â gwneud dim oherwydd eich bod yn dyheu am rywbeth, yn teimlo'n gas, neu'n drachwantus neu wedi gwylltio, ac ati. Drwy weld fod y corff a phob agwedd arall ar yr hunan (y skandhau) mewn fflwcs, mae'r person sy'n myfyrio yn deall nad yw'r ego neu'r hunan yn bod, ac mae hynny'n ei rhyddhau o feddwl am 'fi' ac am 'fy' eiddo.

Zazen

Mae Zazen yn golygu myfyrio-eistedd. Mae Zen, y math o Fwdhaeth sy'n defnyddio Zazen, yn dilyn yr athroniaeth Mahayana mai dwy ochr i'r un geiniog ydy nirvana a samsara, hynny yw, bod y ddau yn bod yma a nawr. I rywun sydd yn gweld â llygad doethineb, mae nirvana yn y foment yma. Yn ogystal â deall fod nirvana yn bresennol, mae Zen yn dysgu y gall rhoi gormod o sylw i ddysgeidiaeth ac ysgrythurau arwain at ddryswch meddwl, yn hytrach nag arwain at eglurdeb goleuedigaeth. Mae'r farn yma'n dod o'r syniad fod ein geiriau a'n syniadau a'n ffyrdd o feddwl yn 'anoleuedig' a felly ddim yn debyg o'n helpu ni i ddarganfod y gwirionedd. Maen nhw'n fwy tebyg o'n camarwain ni i feddwl ein bod yn gwybod beth yw gwirionedd, neu oleuedigaeth.

Felly dydy Zazen ddim yn gofyn i chi fyfyrio ar dukkha, anicca neu anatta, neu ddadansoddi natur gyfnewidol y skandhau, dim ond eistedd a defnyddio greddf neu sythwelediad i sylweddoli fod gwirionedd nirvana yma a nawr.

Bwdhyddion Gorllewinol yn myfyrio yn y Ganolfan Fwdhaeth Dibetaidd yn Lambeth yn Llundain.

Mae stori draddodiadol mewn Zen sy'n ceisio egluro'r 'sythwelediad' yma.

Roedd dilynwyr y Bwdha bob amser yn gofyn cwestiynau iddo am natur y bydysawd, a oedd y byd wedi cael ei greu ac a oedd bywyd ar ôl marwolaeth (h.y. 'dyfalu metaffisegol', gweler tud 37). Doedd e byth yn ateb y cwestiynau hyn yn uniongyrchol ond ar un achlysur, y cwbl wnaeth e oedd codi blodyn a'i ddal o'u blaen. Doedd ei ddilynwyr ddim yn deall. Ond dyma un Bhikkhu, Mahakashyapa, yn gwenu. Y wên ddirgel ac anesboniadwy honno, meddai Bwdhyddion Zen, oedd dechrau Zen ei hun. Pe bai rhywun yn ceisio egluro am beth roedd Mahakashyapa yn gwenu, byddai'r mewnwelediad clir i'r gwirionedd yn cael ei faeddu a'i ddifetha gan ein syniadau anoleuedig ni. Y cwbl oedd y wên oedd moment o sythwelediad.

Mae Zen weithiau'n cael ei ddisgrifio fel 'pwyntio'n uniongyrchol at realiti' felly efallai y gallem ddweud fod Mahakashyapa wedi gwenu am iddo sylweddoli'n uniongyrchol beth sy'n real. Mae'r sylweddoli uniongyrchol yma y tu hwnt i eiriau, dysgeidiaeth a syniadau; mae'n beth cwbl reddfol a dyna'r union beth mae rhai sy'n arfer Zazen yn ceisio cyrraedd ato drwy eu harfer syml o eistedd.

I Fwdhyddion Zen, dydy myfyrdod ddim yn rhywbeth sy'n digwydd yn y neuadd fyfyrio yn unig. Gall gwneud gwaith bob dydd achosi i chi fyfyrio ar nirvana. Mae nirvana yn bod, yn y fan a'r lle, yr eiliad hon, pe baen ni ond yn gallu ei weld a chael phrofiad ohono, felly gall hyd yn oed y gwaith mwyaf diflas droi'n brofiad hapus o oleuedigaeth. Dyna'r rheswm am y ddelwedd boblogaidd o fynachod a lleianod Zen yn byw bywyd syml iawn, yn hel coed tân neu'n codi dŵr o'r ffynnon, neu'n paratoi llysiau neu'n sgubo'r buarth. Mae'r tasgau undonog yma'n fyfyrdodau; maen nhw'n cael eu gwneud ag ymwybyddiaeth feddylgar o'r ffaith eu bod yn ddeunydd nirvana.

Myfyrdod

'Dydy dweud fod gwirionedd yn gorwedd y tu allan i eiriau a syniadau ddim yn gwneud unrhyw synnwyr.' Ydych chi'n cytuno? Pam/pam ddim?

Mae Surana yn aelod o Urdd Bwdhyddion y Gorllewin. Mae'n egluro beth mae myfyrdod yn ei olygu iddo.

'Pan ddechreuais fyfyrio ym mis Mai 1986, roeddwn yn cymryd yn ganiataol y byddwn wedi cael goleuedigaeth erbyn diwedd yr haf. 15 mlynedd yn ddiweddarach, dwi'n llai uchelgeisiol! Er mod i'n dal i anelu at gael goleuedigaeth yn y pen draw, mae'r amserlen wedi newid.

Ym 1986 roeddwn yn ddyn ifanc 21 oed, yn ddryslyd a braidd yn anhapus, ac roedd awydd am gael gwared o'r boen a'r dryswch yn rhan o'r holl beth. Ar y llaw arall, roedd y dyn ifanc oeddwn i bryd hynny yn awyddus i deall ei hun, a dod o hyd i ystyr, bodlondeb a hapusrwydd mewn bywyd ac, yn y pen draw, dysgu rhywfaint o ddoethineb a deall beth yw ystyr bywyd. Mae'r rhain yn dal yn rhesymau dros fyfyrio.

Dros y blynyddoedd hyn, mae'r ffordd dwi'n deall myfyrdod ac yn myfyrio wedi newid. Doedd e ddim yn beth 'naturiol' i mi. Er mod i'n sicr ei fod yn effeithiol, roedd yn dal yn ymdrech galed. Reddwn i'n ei chael hi'n anodd myfyrio, a weithiau'n cael pen tost a theimlo'n benysgafn. Ond wrth fynd i'r afael â'r anawsterau hyn, a dod o hyd i ffyrdd mwy call o fyfyrio, roeddwn i hefyd yn mynd i'r afael â phroblemau yn fy meddwl, heb i mi sylweddoli hynny. Wnes i ddim profi'r hapusrwydd roeddwn i'n ei ddisgwyl, ond roeddwn yn trawsnewid fy meddwl a'm hagwedd ataf fy hun a bywyd.

Roedd cymryd rhan mewn bywyd yn rhan o'm rhesymau dros fyfyrio. Doedd gen i ddim llawer o feddwl o bobl oedd am fyfyrio a sefyll ar wahân i'r byd a'i bethau. Ar yr un pryd, gallwn weld llawer o bobl yn rhuthro o gwmpas yn ceisio 'gwneud daioni' ond gan fynd yn anhapus iawn wrth wneud hynny. Mae myfyrio yn gallu help rhywun i raddau i fod ag agwedd gytbwys tuag at fywyd – bod yn weithgar ond eto'n hunanfeddiannol ac yn bositif. Diolch byth, mae'r holl beth yn llawer haws erbyn hyn a dwi'n mwynhau. Dwi'n myfyrio bron bob dydd, gan godi tua saith o'r gloch y bore i fyfyrio am ryw awr. Er na fyddaf yn cyrraedd cyflwr o ymwybyddiaeth uwch, dwi'n mwynhau ac mae'n gwneud lles i mi.

Dydy hi ddim yn hawdd iawn disgrifio profiad personol fel myfyrio, oherwydd mae pawb yn mynegi pethau mewn ffordd wahanol. Ryw ffordd, drwy fyfyrio, dwi'n teimlo'n fwy real ac yn fwy presennol. Pan na alla'i fyfyrio, neu ddim ond am gyfnodau byr, mae bywyd yn mynd yn dynnach ac yn llwyd. Gan na all neb fyw dau fywyd ar yr un pryd, chaf i byth wybod sut berson fyddwn i wedi bod pe bawn i heb fyfyrio. Mae'r ffaith nad yw'r goleuni'n ymddangos yn nes yn awr nag oedd (roedd tri mis o haf ychydig bach yn uchelgeisiol!) ddim yn fy mhoeni. Dwi'n ddiolchgar fy mod i wedi treulio 15 mlynedd yn myfyrio ... a phwy a ŵyr beth all ddigwydd yn y 15 mlynedd nesaf!'

Myfyrdod

Ydych chi'n synnu fod Surana'n dweud nad ydy e'n poeni am y ffaith nad yw gam yn nes at oleuedigaeth? Os ydych, pam? Os nad ydych, pam ddim?

Mae Surana'n defnyddio iaith ffigurol wrth sôn am ei brofiadau. Er enghraifft, mae'n dweud pan na fydd yn myfyrio fod bywyd yn mynd yn 'dynnach ac yn llwyd' a phan fydd yn myfyrio, ei fod yn teimlo'n fwy 'real ac yn fwy presennol'. Beth mae e'n ei olygu wrth hynny?

Pwnc seminar

Ydy Surana yn iawn i boeni am bobl sy'n rhuthro o gwmpas yn ceisio 'gwneud daioni' ond gan fynd i gyflwr meddwl anhapus iawn wrth wneud hynny'? Wedi'r cwbl, gwneud daioni yw'r unig beth sy'n cyfrif, ynte?

Tasgau

Tasgau sgrifennu	
	Eglurwch sut mae Bwdhyddion yn myfyrio.
	'Mae myfyrio'n fwy tebygol o atgyfnerthu ymdeimlad person o'i hunan na'i danseilio.' Aseswch pa mor wir ydy'r farn yma.

Geirfa

Brahmavihara	Cyflwr dwyfol. Y pedair ansawdd mae'r Bwdhydd yn ceisio eu datblygu drwy fyfyrdod, sy'n cael eu galw'n ddwyfol am eu bod yn golygu rhoi cariad di-amod, sy'n anodd iawn i fodau dynol.
karuna	Tosturi. Un o nodweddion pob Bwdha a Bodhisattva, yn enwedig yn y traddodiad Mahayana. Un o'r pedwar Brahmavihara.
Mahakashyapa	Un o brif ddisgyblion y Bwdha, sy'n gymeriad yn stori draddodiadol sefydlu Bwdhaeth Zen.
metta	Caredigrwydd cariadus neu ewyllys da. Un o'r pedwar Brahmavihara.
metta bhavana	Math o fyfyrdod sy'n cwmpasu pob peth byw mewn caredigrwydd cariadus.
mudita	'Llawenydd dros eraill'. Un o'r pedwar Brahmavihara.
Bwdhaeth y Tir Pur	Math o Fwdhaeth Mahayana sy'n credu mai'r unig ffordd o gael goleuedigaeth yw yn y Tir Pur, Amida Bwdha, lle mae'r dilynydd sy'n anobeithio y bydd byth yn cyrraedd y goleuni drwy ei ymdrechion ei hun, yn cael ei aileni.
samatha	Myfyrdod i sicrhau tawelwch meddwl.
Thich Nhat Hanh	Athro Bwdhaidd o Fietnam. Mae ei ddysgeidiaeth yn enwog iawn yn y Gorllewin erbyn hyn.
uppekkha	'Tawelwch meddwl' neu 'feddwl cytbwys'. Un o'r pedwar Brahmavihara.
Vipassana	'Myfyrdod treiddgar' – mewnwelediad i'r lakshanau.
Zazen	'Eistedd' – math o fyfyrdod sy'n cael ei arfer gan Fwdhyddion Soto Zen.

Puja

Nod

Ar ôl astudio'r bennod dylech fod yn gwybod beth yw ffurf a symbolaeth gwahanol fathau o puja mewn gwahanol draddodiadau Bwdhaidd. Dylech hefyd fod wedi meddwl am natur addoli yng nghyd-destun Bwdhaeth.

Weithiau, mae'n hawdd anghofio, heb law am y syniadau deallusol ac athronyddol, a chaledi myfyrdod cyson, fod gan Fwdhaeth hefyd ddefodau dyddiol a gwyliau blynyddol sy'n helpu i atgoffa Bwdhyddion am eu nodau, ac am eu perthynas â'r Bwdha, Dharma a'r Sangha.

Un o'r pethau sy'n eich taro fwyaf am Fwdhaeth yw mor wahanol yw'r arferion o wlad i wlad, ac o draddodiad i draddodiad. Mae gan y rhan fwyaf o grefyddau – meddyliwch am Islam, fel enghraifft – sylfaen o arferion y bydd unrhyw un sy'n perthyn i'r grefydd honno yn gyfarwydd â nhw. Mae Mwslimiaid ym mhedwar ban y byd yn ufuddhau i'r gorchymyn i weddïo bum gaith y dydd, gan wynebu'r Ka'ba yn Makkah. Ble bynnag maen nhw'n byw, ym Mhrydain, Indonesia neu Saudi Arabia, maen nhw'n treulio mis Ramadan yn ymprydio ac yn myfyrio ar y Qur'an; maen nhw'n dathlu gwyliau Eid al-Fitr ac Eid-ul Adha, ac yn cyfarch ei gilydd â'r geiriau, 'Heddwch Allah fo i ti'. Wrth gwrs, bydd Mwslimiaid mewn gwahanol wledydd yn cyflawni'r gorchmynion hyn mewn modd ychydig yn wahanol.

Mae Bwdhaeth yn wahanol. Datblygodd traddodiadau mewn gwahanol ffyrdd ar ôl i'r Bwdha farw. Rhoddodd y Bwdha ryddid i'r Sangha drwy beidio ag enwi arweinydd i'w ddilyn, ac mae Bwdhaeth wedi datblygu yn ei ffordd ei hun. Oherwydd fod y Bwdha bob amser yn dweud wrth ei ddilynwyr am 'roi prawf ar y ddysgeidiaeth' a pheidio â derbyn pethau ar sail ei awdurdod ef (neu awdurdod rhywun arall) yn unig, mae llawer o Fwdhyddion yn dadlau eu bod yn rhydd i wneud beth bynnag maen nhw'n credu fydd yn eu helpu i ddilyn y llwybr, a dod i ddeall rhinweddau goleuedigaeth yn well. Felly mae'n bosibl dadlau fod Bwdhaeth, sy'n ddysgeidiaeth at bwrpas arbennig yn hytrach na datguddiad o Wirionedd Absoliwt, yn llawer haws ei newid a'i addasu ar gyfer pobl o gyfnodau a diwylliannau gwahanol.

Pwnc seminar

Ydych chi'n meddwl ei bod hi'n od nad ydy Bwdhyddion yn dilyn yr un defodau a gwyliau? Pam/pam ddim?

Ydy Bwdhaeth yn rhyw grefydd 'beth bynnag sy orau i chi'?

Cysegr gyda delw o'r Bwdha yn dal ei ddwylo yn ffurf mudra myfyrio. Ydych chi'n credu fod defnyddio cysegrau fel yma yn dangos awydd am bethau hardd? Ydy hynny'n gyson â syniadau Bwdhaidd? Sut mae Bwdhyddion yn defnyddio cysegrau, a beth ydy eu barn amdanyn nhw?

Puja

Mae'r rhan fwyaf o Fwdhyddion, beth bynnag yw eu traddodiad, yn perfformio puja yn rheolaidd. Mae puja yn air sy'n cael ei ddefnyddio yng nghyd-destun Hindŵaeth hefyd. Yn llythrennol, mae'n golygu 'addoli', ond mae'n bwysig iawn i ni fod yn gwbl glir beth ydy ystyr hynny. Oherwydd fod y gair 'addoli' yn y Gorllewin yn awgrymu duw neu greawdwr hollalluog, dydy rhai Bwdhyddion ddim yn credu'i fod yn air da i'w ddefnyddio mewn Bwdhaeth. Wedi'r cwbl, dydy'r Bwdha yn sicr ddim yn dduw (gweler tud 5) ac, yn gyffredinol, dydy Bwdhyddion ddim yn credu mewn duw hollalluog a greodd y bydysawd. Byddai'n well gan y Bwdhyddion hynny air fel 'dwys-barchu' sy'n awgrymu parch yn hytrach nag addoliad. Ond yn dechnegol, y cwbl mae addoli'n ei olygu yw gweithred neu agwedd tuag at rywbeth rydych chi'n credu ei fod yn deilwng ac o werth. Mae Bwdhyddion yn sicr yn credu fod gwerth i'r Bwdha (ac i'r Dharma ac i'r Sangha o ran hynny) – felly efallai nad yw addoli yn air mor od i'w ddefnyddio wedi'r cwbl.

Pwnc seminar

Fyddech chi'n disgrifio mynd am noddfa yn y tair gem fel 'addoli'?

Teilyngdod

Mae canlyniadau i bob gweithred. Mae Bwdhyddion yn credu, drwy weithredu mewn modd arbennig gyda'r bwriadau iawn, ei bod yn bosibl i chi buro eich karma ac ennill 'teilyngdod' (P. puñña/S. Punya). Mae'r fath deilyngdod yn gallu helpu unigolyn ar y llwybr tuag at oleuedigaeth, ond mae hefyd yn gallu cael ei rannu gydag eraill. Dim ond i chi feddwl am y peth, byddai braidd yn hunanol gwneud daioni ddim ond er mwyn eich goleuedigaeth eich hun. Mae'n beth llawer mwy Bwdhaidd gwneud daioni er mwyn helpu eraill. Felly rhan o puja yw dymuno fod y daioni sy'n dod o wneud puja yn cael ei drosglwyddo i eraill er mwyn cynyddu eu stôr nhw o deilyngdod. Mae sawl ffordd o ennill teilyngdod y gallwch ei drosglwyddo i eraill heb law am berfformio puja, er enghraifft, rhoi (dana) bwyd neu gyfraniadau i'r Sangha.

Sgrifennodd Peter Harvey, Bwdhydd Theravada Prydeinig, gyflwyniad i'w lyfr ar Fwdhaeth:

'Boed i unrhyw bŵer purol ffafriol (puñña) a gynhyrchwyd drwy ysgrifennu'r gwaith hwn fod er budd i'm rhieni, fy ngwraig a'm merch, pawb sy'n darllen y llyfr hwn, a phob bod.'[10]

Mae patrwm y cyflwyniad yma yn Fwdhaidd iawn. Ydych chi'n cofio'r metta bhavana? Dyma'r myfyrdod sy'n ystyried, yn gyntaf, eich lles eich hun a'ch teulu; yna mae'n symud allan mewn cylchoedd tuag at bobl llai clos. Mae Harvey'n ystyried y bobl agosaf ato gyntaf, sef ei deulu. Dyna'r bobl mae'n fwyaf hawdd dymuno'n dda iddyn nhw. Mae'n fwy anodd wedyn. Mae am i'r bobl sy'n darllen ei lyfr i elwa. Na, nid elwa ar ddarllen y llyfr, ond elwa ar y puñña mae e wedi ei gynhyrchu drwy sgrifennu'r llyfr. Mae am i'r puñña hyn fod ar gyfer pobl eraill. (Mae bwriad yn hollbwysig mewn Bwdhaeth). Dydy e ddim yn adnabod pawb fydd yn darllen ei lyfr. Efallai ei fod yn teimlo rhyw fath o berthynas neu gysylltiad â nhw, ond mae'n dal i ddymuno'n dda i bobl heb eu hadnabod. Ac yna, i gloi, mae'n cyflwyno'r puñña i bawb: pobl sy'n ymddiddori mewn Bwdhaeth, ond sy heb ddarllen ei lyfr, pobl heb ddim diddordeb mewn Bwdhaeth, pobl sy'n perthyn i grefyddau eraill, pobl dda, pobl ddrwg a hyd yn oed bodau 'annynol' (peidiwch ag anghofio mai un deyrnas yw'r deyrnas ddynol o blith llawer o deyrnasoedd mewn Bwdhaeth).

Mae hon yn weithred nodweddiadol Fwdhaidd. Pan fydd person yn gwneud unrhyw waith da, boed yn gymwynas, yn waith ysgolheigaidd neu greadigol, myfyrdod, llafarganu neu puja, bydd yn mynnu y dylai'r teilyngdod gael ei drosglwyddo i rywun arall ac, yn aml, i holl fodau eraill y greadigaeth.

Defodau puja

Mae Bwdhyddion yn perfformio puja gartref neu yn y Deml. Mae'n golygu offrymu'n symbolaidd i ddelwau (neu weithiau luniau) o'r Bwdha neu fodau goleuedig eraill. Maen nhw'n cynnig dŵr ymolchi a dŵr yfed gan fod dŵr yn cynnal bywyd. Mae blodau, arogldarth, goleuni, bwyd a phersawr, yn cynrychioli'r pum synnwyr, yn cael eu cynnig hefyd. Bydd pobl yn ymgrymu, weithiau gan wasgu cledrau'r dwylo ynghyd, neu hyd yn oed yn gorwedd ar eu hyd o flaen y ddelw. Os nad ydych yn Fwdhydd, mae hyn yn edrych yn debyg iawn i addoli duw. Ond mae'r arwyddion hyn o barch yn rhan o ddiwylliant y gwledydd lle mae Bwdhaeth yn fwyaf poblogaidd. Mae pobl Japan, er enghraifft, yn ymgrymu i'w gilydd drwy'r amser. Dydy hynny ddim yn addoli, dim ond dangos parch at berson arall. Wrth ymgrymu i ddelw'r Bwdha, dydy Bwdhyddion ddim yn dweud fod y Bwdha yn dduw, dim ond fod beth mae'r ddelw'n ei gynrychioli yn haeddu parch.

Mae'r puja yn debyg o gynnwys 'mynd am noddfa' a 'chymryd yr argymhellion'. Mae hynny'n golygu dweud neu lafarganu'r noddfeydd a'r argymhellion mewn Pali neu Sanskrit, neu Japanaeg neu Dibeteg, neu hyd yn oed Saesneg neu Gymraeg, yn dibynnu ar y lle a'r math o Fwdhaeth. Mewn Bwdhaeth Mahayana, efallai y bydd gweithgareddau defodol eraill fel llafarganu sutrau, cerddoriaeth, yn enwedig drymiau, gongiau, clychau ac utgyrn, gwneud mudrau (symud y dwylo mewn modd symbolaidd), syllu ar mandalau (patrymau symbolaidd o oleuedigaeth sy'n cael eu defnyddio wrth fyfyrio) a lafarganu mantrau (brawddegau arbennig sy'n cael eu hadrodd drosodd a throsodd).

Yn y rhan fwyaf o fathau o Fwdhaeth, bydd yr addolwyr hefyd yn dweud yn ffurfiol eu bod am i unrhyw deilyngdod sy'n dod o'r weithred addoli gael ei ddefnyddio er budd eraill.

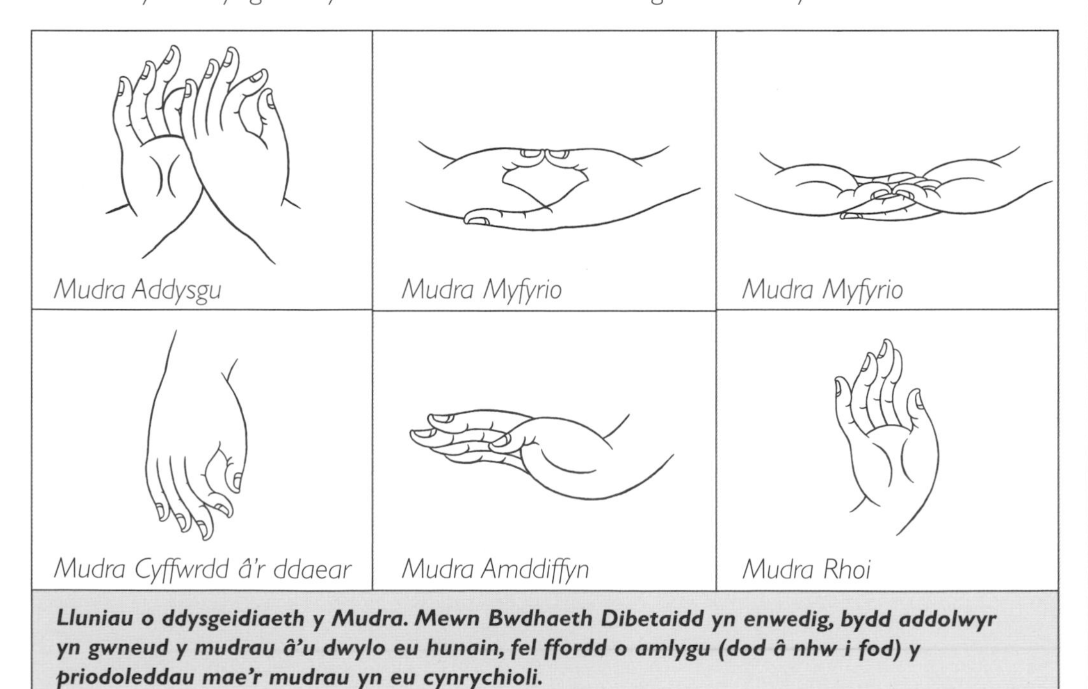

Lluniau o ddysgeidiaeth y Mudra. Mewn Bwdhaeth Dibetaidd yn enwedig, bydd addolwyr yn gwneud y mudrau â'u dwylo eu hunain, fel ffordd o amlygu (dod â nhw i fod) y priodoleddau mae'r mudrau yn eu cynrychioli.

Myfyrdod personol

Ydy'r syniad o drosglwyddo teilyngdod yn un synhwyrol? (awgrym: meddyliwch am y bodhisattva)

Pwnc seminar

Sut mae gwneud symudiadau â'r dwylo yn gallu golygu rhywbeth?

Cafodd y mandala yma ei wneud gan bum mynach Tibetaidd a ymwelodd â phentref Llandysul yng ngorllewin Cymru ychydig amser wedi'r ymosodiad brawychus ar America ar 11 Medi 2001. Cymerodd y mynachod ddwy wythnos i'w wneud, o dywod lliw. Cafodd y teilyngdod am eu gwaith ei gyflwyno i achos heddwch a thosturi yn y byd. Ar ôl i ffermwyr a phobl leol ddod i'w weld, cafodd y mandala ei olchi ymaith mewn nant gyfagos. Rhan o ystyr y seremoni oedd atgoffa pobl o ddiffyg sylwedd a diffyg parhad pob peth.

Beth mae'r delwau'n ei gynrychioli?

Mae'r ddelw sydd yn y cysegr yn dibynnu ar y math o Fwdhaeth sy'n cael ei arfer. Mae gan demlau Bwdhaeth Theravada ddelwau o'r Bwdha hanesyddol. Mae'r delwau hyn yn cynrychioli'r person hanesyddol sy'n haeddu parch am beth lwyddodd e i'w wneud. Mae pobl yn myfyrio arno am ei fod yn ysbrydoliaeth ac yn esiampl i bawb ar y llwybr tuag at oleuedigaeth.

Mewn Bwdhaeth Mahayana, gall y delwau fod yn rhai o'r Bwdha hanesyddol, neu fodau goleuedig eraill. Er enghraifft, yn Japan, mae'n llawer mwy arferol gweld temlau wedi eu cysegru i Amida (Amitabha) nag i'r Bwdha hanesyddol. Mae'r bodau goleuedig eraill mwyaf cyffredin yn cynnwys Manjusri, Avalokitesvara, neu'r pum Bwdha dhyani (gweler tud 21). Mae'r delweddau hyn yn llawn symbolaeth. Dydyn nhw ddim yn cynrychioli personau hanesyddol ond, yn hytrach, agweddau ar oleuedigaeth, neu rinweddau bodau goleuedig y bydd y Bwdhydd yn ceisio eu dynwared. Er enghraifft, mae cleddyf tanllyd Manjusri, sy'n torri drwy dywyllwch anwybodaeth, yn symbol o'r doethineb sy'n dod o weld realiti fel y mae. Pan fydd Bwdhyddion Mahayana yn perfformio puja o flaen delw o Manjusri, maen nhw'n dangos eu parch at ddoethineb, ac yn dweud eu bod yn benderfynol o ddatblygu doethineb yn eu calonnau eu hunain. Bydd dwylo pob delw mewn ffurf mudra.

Cerdded o gwmpas y stupa

Mae rhai ysgolheigion yn dadlau fod awydd y Bwdhydd i ddangos parch at bopeth mae'r Bwdha yn ei gynrychioli drwy berfformio defodau yn dod o Fwdhaeth gynnar pan oedd pobl yn arfer ymweld â stupâu yn cynnwys creiriau'r Bwdha a cherdded o'u cwmpas yn ddefodol. Mewn gwledydd Bwdhaidd Theravada, mae cerdded o gwmpas y stupa yn dal yn rhan bwysig o addoli. Mae llun o stupa (Stupa Sanchi) ar dud 17.

Baneri gweddi ac olwynion gweddi

Mantra yw brawddeg sy'n cynnwys enw bod goleuedig a disgrifiad ohono; mae'r addolwr yn ailadrodd y mantra a thrwy wneud hynny, mae'n arddangos rhinweddau'r bod goleuedig hwnnw. Mantra pwysig yw mantra Avalokitesvara 'Om mani padme hum'. Gan mai Avalokitesvara yw Bodhisattva tosturi, mae ystyried a llafarganu'r mantra yma yn helpu'r addolwyr i ddangos tosturi.

***Om mani padme hum* mewn Tibeteg. Ystyr y mantra yma yw 'Henffych i'r Gem yn y Lotws', sef un o enwau Bodhisattva Tosturi.**

Mewn Bwdhaeth Dibetaidd, mae'r mantra yma'n cael ei sgrifennu ar faneri, baneri gweddi fel mae rhai'n eu galw (er nad yw mantra yn weddi yn yr ystyr Gristnogol) ac ar ddarnau o bapur sy'n cael eu rhoi y tu fewn i olwynion gweddi mae'r addolwyr yn eu troi. Drwy droi'r olwyn, mae'r mantra'n cael ei 'ddweud' yn symbolaidd – ac yn cynhyrchu mwy o dosturi.

Pwnc seminar

Sut all dim ond dweud brawddeg, neu ddim ond ei dweud yn symbolaidd drwy droi olwyn weddi, effeithio ar unrhyw beth?

Baneri gweddi ar ochr mynydd yn Tibet

Mae'r olwynion gweddi yma'n dal miloedd o fantrau wedi eu sgrifennu ar ddarnau bach o bapur. Drwy droi'r olwyn, mae'r fenyw'n danfon allan y mantrau yn symbolaidd.

Tasgau

Tasgau sgrifennu	Eglurwch rai o ffyrdd Bwdhyddion o addoli. 'Dydy'r Bwdha ddim yn dduw, felly dydy Bwdhyddion ddim yn ei addoli'. Gwerthuswch y farn yma.
Tasg gyflwyno	Gwnewch arddangosfa o bosteri sy'n darlunio'n glir y gwahanol ffyrdd y bydd Bwdhyddion yn addoli.
Actio rhannau	Actiwch drafodaeth rhwng Bwdhydd Theravada a Bwdhydd Tibetaidd yn egluro sut mae eu ffyrdd o addoli yn bwysig iddyn nhw.

Geirfa

mandala	Diagram myfyrio sy'n darlunio goleuedigaeth. Bydd mandalau hardd yn cael eu gwneud mewn powdr lliw a sialc, a'u dinistrio ar ôl diwrnod neu ddau, i'n hatgoffa nad oes dim yn parhau.
mantra	Yn llythrennol, 'arf y meddwl', brawddeg yn cynnwys enw bod goleuedig sy'n cael ei ailadrodd er mwyn dangos rhinweddau'r bod goleuedig.
mudra	Ystumiau dwylo sydd ag ystyr arbennig. Mae gan bob delw o fod goleuedig mudra neilltuol, er mwyn gallu eu cysylltu â syniad Bwdhaidd penodol. Mae mudrau yn cael eu defnyddio'n aml wrth addoli mewn Bwdhaeth Dibetaidd.
om mani padme hum	'Henffych i'r Gem yn y Lotws', mantra bodhisattva tosturi, Avalokitesvara
baner weddi	Baner â mantra wedi ei sgrifennu arni.
olwyn weddi	Olwyn yn cynnwys mantra, sy'n gallu cael ei throi fel bod y mantra'n cael ei 'ddweud' yn symbolaidd lawer o weithiau.

Deunydd ar gyfer yr Uned Synoptig (U2)

Wrth i chi astudio Bwdhaeth bydd eich athro neu athrawes wedi bod yn tynnu eich sylw at y wybodaeth dylech ei chofio ar gyfer y Modiwl Synoptig a fydd yn cael ei asesu wedi i chi gwblhau astudio U2.

Mae'r asesiad ar gyfer y modiwl synoptig yn golygu y bydd rhaid i chi sgrifennu traethawd o dan amodau arholiad ar agwedd neilltuol o Awdurdod Crefyddol, neu Brofiad Crefyddol, neu Fywyd, Marwolaeth a Bywyd ar ôl Marwolaeth. Dylai'r traethawd ddefnyddio o leiaf ddau faes llafur, oherwydd mae disgwyl i chi allu cynnal dadl feirniadol, a gallai hynny olygu cymharu a chyferbynnu gwahanol feysydd astudiaeth.

Yn ogystal â gwybod y ffeithiau angenrheidiol a deall un o'r tri maes gafodd eu dewis ar gyfer asesiad synoptig, bydd rhaid i chi ddangos gallu i feddwl yn feirniadol a'r gallu i ddilyn trywydd rhesymu.

Awdurdod Crefyddol

Mae cwestiwn awdurdod yn un diddorol iawn mewn Bwdhaeth. Mae gan y Bwdha hanesyddol awdurdod fel enghraifft ddynol o beth all person ei gyflawni. Mae ganddo awdurdod hefyd fel athro a awgrymodd ffyrdd o drechu chwant ac anwybodaeth a chael goleuedigaeth. Ond doedd y Bwdha ddim yn cyhoeddi gorchmynion, a doedd beth ddysgodd e i bobl ddim yn Ddatguddiad, yn yr ystyr Iddewig, Gristnogol neu Fwslimaidd. Dwy ffynhonnell awdurod arall yw'r Dharma a'r Sangha sydd, gellid dadlau, cyn bwysiced â'r Bwdha.

Mae'r ysgrythurau'n bwysig iawn hefyd, ond rhaid cofio fod gwahanol fathau o Fwdhyddion yn cyfeirio at wahanol ysgrythurau. Does dim 'Beibl' Bwdhaidd!

Ffynhonnell awdurdod bwysig mewn Bwdhaeth ydy'r unigolyn. Dwedodd y Bwdha wrth ei ddilynwyr am beidio â derbyn ei eiriau'n ddigwestiwn, ond i roi prawf ar ei awgrymiadau i weld os oedden nhw'n gweithio. Felly, proses o chwilio personol ydy Bwdhaeth lle mae'r unigolyn yn darganfod ei ffordd ei hun tuag at oleuedigaeth.

Wrth gwrs, mae Bwdhaeth yn grefydd sefydliadol mewn llawer o wledydd, ac mae nifer o Fwdhyddion o statws uchel sydd ag awdurdod yn eu math neilltuol nhw o Fwdhaeth. Un enghraifft o berson o'r fath ydy'r Dalai Lama.

Profiad Crefyddol

Mae Bwdhaeth yn grefydd sy'n rhoi pwyslais mawr ar brofiad crefyddol. Roedd y dharma i gyd wedi ei seilio ar brofiadau crefyddol un person, y Bwdha. Mae'n bwysig ystyried ei brofiadau a cheisio dychmygu sut beth, er enghraifft, oedd teimlo anobaith llwyr ar ôl gweld y Pedair Golygfa, a'r penderfyniad wedyn i ddod o hyd i ffordd allan o ddioddefaint i bob peth byw. Byddai'r rhan fwyaf o Fwdhyddion yn tystio eu bod wedi cael profiadau crefyddol eu hunain. Er enghraifft, mae hanesion Surana, Catherine, a Man Yao yn egluro sut brofiad ydy myfyrio, sylweddoli beth sy'n bwysig mewn bywyd, neu gysylltu ymarfer Bwdhaeth â bywyd yr unigolyn. Mae'r rhain i gyd yn brofiadau crefyddol.

Syniadau am Fywyd, Marwolaeth a Bywyd ar ôl Marwolaeth

Mae gan Fwdhaeth syniadau clir iawn am natur bywyd, marwolaeth a bywyd ar ôl marwolaeth. Mae'r dadansoddiad Bwdhaidd o'r unigolyn (sy'n cael ei egluro ar dud 29), sef ei fod wedi ei ffurfio o bum skandha sydd mewn fflwcs parhaol, yn gefndir i syniadau am aileni, dod i fod, karma ac anatta neu ddim-hunan-sefydlog. Ar gwestiwn bywyd ar ôl marwolaeth, mae Bwdhaeth fel arfer yn dilyn llwybr canol rhwng bytholrwydd a nihiliaeth.

Mater pwysig arall yn y pwnc yma ydy'r syniad nad bywyd dynol ydy'r unig fath o 'fywyd'. Mae teyrnasoedd eraill yn bod, gyda mathau eraill o fodau sy'n dioddef ynddyn nhw.

Am wybodaeth bellach ac adnoddau ar brofiad crefyddol, cysylltwch â'r Ganolfan Ymchwil i Brofiad Crefyddol, Prifysgol Cymru Llanbedr-Pont-Steffan, Ceredigion SA48 7ED *ahardytrust@lamp.ac.uk* *www.alisterhardytrust.org* .

Cyfeiriadau

[1] Pye, Michael, *The Buddha*, Llundain, Duckworth. 1979, tud. 10.

[2] Cush, Denise, *Buddhism (A Student's Approach to World Religions)*, Llundain, Hodder & Stoughton, 1993, tud. 45.

[3] Rahula, Walpola, *What the Buddha Taught*, Rhydychen, Oneworld, 1997.

[4] Snelling, John, *The Buddhist Handbook: A complete guide to Buddhist teaching and practice*, Llundain, Century, 1987.

[5] Harris, J. Glyndwr, *Arweiniad at Bwdhaeth*, Abertawe, Christopher Davies, 1980, tud. 35.

[6] Fowler, Merv, *Buddhism, Beliefs and Practices*, Brighton, Sussex Academic Press, 1999, tt. 50-51.

[7] Gethin, Rupert, *The Foundations of Buddhism*, Rhydychen, OUP, 1998, tud. 59.

[8] Fowler, uchod, tud. 73.

[9] Keown, Damien, *A Very Short Introduction to Buddhism*, Rhydychen, OUP, 1996, tud. 92.

[10] Harvey, Peter, *Introduction to Buddhism: Teachings, History and Practices*, Caergrawnt, CUP, 1990.

Llyfryddiaeth

Awgrymiadau darllen pellach, yn ychwanegol at y llyfrau mae cyfeiriadau atyn nhw yn y testun (o blith y rhai hynny, mae *Cush, Fowler* a *Gethin* yn arbennig o ddefnyddiol).

Clarke, Steve a Thompson, Mel, *Buddhism: A New Approach*, Llundain, Hodder & Stoughton, 1996 (llyfr ar gyfer CA4, ond mae'n ddefnyddiol ar gyfer UG).

Erricker, Clive, *Addysgwch eich Hun am Fwdhaeth*, Llundain, Hodder & Stoughton (3ydd arg., 2003, trosiad Cymraeg, Gwasg APCC, 2003).

Harris, Elizabeth, *What Buddhists Believe*, Rhydychen, Oneworld, 1998.

Harvey, Peter (gol.), *Buddhism*, Llundain, Continuum, 2001.

Stokes, Gillian, *Buddha: A Beginner's Guide*, Llundain, Hodder & Stoughton, 2001.

Skilton, Andrew, *A Concise History of Buddhism*, Birmingham, Windhorse, 1997.

Thompson, Mel, *101 Key Ideas: Buddhism*, Llundain, Hodder & Stoughton, 2000.

Cyflwyniad yw **Bwdhaeth ar gyfer myfyrwyr UG** ar gyfer dechreuwyr, sy'n anelu at gyfleu rhywfaint o amrywiaeth Bwdhaeth. *Mae Adran 1: Bywyd y Bwdha* yn gosod ei fywyd a'i ddysgeidiaeth mewn cyd-destun hanesyddol; mae *Adran 2: Cysyniadau ac Arferion* yn ymdrin â dysgeidiaethau allweddol y Bwdha a rhai arferion Bwdhaidd pwysig.

Mae Dr Wendy Dossett yn Ddarlithydd mewn Astudiaethau Crefyddol ym Mhrifysgol Cymru, Llanbedr Pont Steffan, lle mae'n Gyfarwyddydd yr MA mewn Crefyddau Byd-Eang ar gyfer Athrawon. Arferai ddysgu ar raglen AG Uwchradd y TAOR yng Ngholeg y Drindod, Caerfyrddin, a hi ar hyn o bryd yw'r Prif Arholydd ar gyfer y fanyleb UG/U2 mewn Bwdhaeth, Hindŵaeth a Sikhaeth ar gyfer Cyd-Bwyllgor Addysg Cymru.

Y cyhoeddiadau eraill yn y gyfres hon yw:

1-902724-61-5 **Bwdhaeth: Llawlyfr Athrawon** gan Wendy Dossett

1-902724-65-8 **Iddewiaeth ar gyfer myfyrwyr UG** gan Lavinia Cohn-Sherbok a Wendy Dossett

1-902724-66-6 **Iddewiaeth: Llawlyfr Athrawon** gan Rhian Davies

1-902724-69-0 **Crefydd a Moeseg ar gyfer myfyrwyr UG** gan Noel A Davies

1-902724-70-4 **Crefydd a Moeseg: Llawlyfr Athrawon** gan Noel A Davies

1-902724-73-9 **Cristnogaeth ar gyfer myfyrwyr UG** gan Lavinia Cohn-Sherbok

1-902724-74-7 **Cristnogaeth: Llawlyfr Athrawon** gan Barbara Prosser

1-902724-77-1 **Athroniaeth Crefydd ar gyfer myfyrwyr UG** gan Helen F Jeys

1-902724-79-8 **Athroniaeth Crefydd: Llawlyfr Athrawon** gan Helen F Jeys

9 781902 724607

11.99